D0928614

LA DANSEUSE SACRÉE

PARUTIONS MAI 2009

• LE CARRÉ DE LA VENGEANCE	Pieter Aspe
• OÙ EN ÉTAIS-JE ?	Philippe Beaussant
• PETITE MÈRE	Henriette Bernier
• LE CRIME DE L'ORIENT-EXPRESS	Agatha Christie
• MAUVAISE BASE	Harlan Coben
• À MÉLIE, SANS MÉLO	Barbara Constantine
• PAUSE-CAFÉ	Georges Coulonges
• COUP D'ÉTAT À L'ÉLYSÉE	Alain Decaux
• MA GRAND-MÈRE AVAIT LES MÊMES	Philippe Delerm
• LE JEUNE HOMME EN CULOTTE DE GOLF	Jean Diwo
• L'EXTRAORDINAIRE HISTOIRE DE FATIMA MONSOUR	J. & G. Dryansky
• LA CADILLAC DES MONTADORI	Marie Ferranti
• CHASSES À L'HOMME *Prix du Quai des Orfèvres 2009*	Christophe Guillaumot
• LES OMBRES DU PAYS DE LA MÉE	Hélène Legrais
• LE FAIT DU PRINCE	Amélie Nothomb
• VILLA NUMÉRO 2	Danielle Steel
• IL ÉTAIT UNE FOIS... PEUT-ÊTRE PAS	Akli Tadjer
• LA DANSEUSE SACRÉE	Jean-Michel Thibaux
• MORT DE TROUILLE	Donald Westlake
• LE VOYAGE DANS LE PASSÉ	Stefan Zweig

LA DANSEUSE SACRÉE

JEAN-MICHEL THIBAUX

éditions en gros caractères
vente par correspondance
Si vous avez aimé ce livre,
pour recevoir notre catalogue
sans engagement de votre part,
envoyez-nous vos nom et adresse

FERYANE

B.P. 80314 – 78003 Versailles Cedex
Tél. 01 39 55 18 78
feryane@wanadoo.fr

Boutique en ligne sur
www.feryane.fr

ISBN 978-2-258-06480-5

ISBN 978-2-84011-896-1

1

Il aurait pu être en train de se prélasser dans un bassin aux eaux parfumées, ou de se délecter des mets les plus exquis et des vins les plus fins dans des jardins aux senteurs exotiques ; il aurait pu être entre les bras de la femme qu'il aimait... Non, Michel Casenove se trouvait sur une piste poudreuse, planqué derrière un rocher, le fusil à la main, en compagnie de ses hommes disséminés autour de lui. Au loin, les sommets bleuissants des montagnes pakistanaises déchiquetaient un ciel sans nuages. Le reste du paysage n'était que ravines, éboulis, rus à sec. Un endroit idéal pour s'embusquer.

Michel releva son arme en voyant surgir Dhama, son second.

– Alors ? demanda-t-il.

– Rien, il n'y a plus personne. Ils ont disparu.

– Maudits pillards, marmonna Michel. Je pense qu'on ne les reverra plus. Ils ont perdu trois hommes hier. Et nous sommes plus nombreux et mieux armés qu'eux.

Michel en doutait. Il quitta l'abri de son rocher et retourna dans le creux où on avait rassemblé les chameaux et les mulets chargés de tapis précieux, de métaux rares, d'objets de luxe, d'armes de prix. Chaque année, il rapportait des trésors de la lointaine Turquie, de Perse, d'Afghanistan, pour les revendre en Inde. Michel était l'un des trafiquants les plus actifs du continent asiatique. L'argent qu'il en retirait lui permettait de vivre comme un prince dans le sud de l'Inde. En vérité, il se fichait d'être riche. Le goût de l'aventure le poussait à vivre ainsi. Mais aujourd'hui, harassé de fatigue, il en avait assez de cheminer durement à travers ces régions ingrates.

Ses hommes le rejoignirent les uns après les autres. Dhama était déjà à cheval. On aurait dit qu'il était né avec, qu'il avait du sang mongol, pourtant Dhama n'avait jamais vécu dans les steppes ; il venait du Tibet, où il avait passé la première partie de sa vie dans les monastères.

« Sacré moine ! » pensa Michel en montant en selle.

– Demain nous entrerons en Inde ! cria-t-il à l'intention de ses hommes. Soyez vigilants !

La perspective d'atteindre l'Inde leur réjouit le cœur. C'était retrouver un havre de paix et de sérénité.

Au village d'Aunrai, en Inde du Nord, il n'y avait ni pillards ni rebelles, pas même un voleur. Chaque jour, à l'aube, la petite Amiya attendait ses deux amies près du grand puits de la place aux poules. Amiya, dont le nom signifiait « la Délicieuse », avait de longs cheveux d'un noir brillant, le visage fin en amande, la bouche délicate d'une fleur rose et des yeux immenses. Toutes les misères et les espérances étaient contenues dans le regard de la fillette, que les dieux avaient fait naître onze ans plus tôt dans une famille de potiers, au cœur d'une communauté vivant chichement.

Pauvres, tous l'étaient à Aunrai. Les riches vivaient à deux jours de marche du village, à Bénarès la Sainte. Pauvre, le sadhu l'était par choix. Amiya, la cruche sur la tête, s'approcha de lui. Couvert de cicatrices, il se tenait sur un tronc de pilier noir, vestige d'un temple disparu, et priait en silence. La petite fille avait de l'affection pour le saint homme. Chaque jour, elle lui apportait une galette à grignoter.

Elle déposa le mets aux pieds de l'homme nu dont le regard illuminé la traversait. Il prierait peut-être pour elle ; elle n'en savait rien. Jamais il ne lui adressait la parole, demeurant dans le monde surnaturel qu'il s'était choisi. Sa bonne action accomplie, elle reprit son observation près du puits.

Ses deux amies Hila et Mili apparurent dans l'aube dorée, chassant devant elles les poules caquetantes qui cherchaient pitance parmi les débris épars. Il avait plu pendant la nuit ; la boue rougissait leurs pieds et le bas de leur sari. Elles portaient aussi une grosse cruche sur la tête, mais à la différence d'Amiya chacune tenait un bébé contre sa hanche gauche. Leurs enfants. Elles n'avaient pourtant que douze ans. Hila et Mili étaient mariées depuis deux ans...

En les voyant peiner sous leurs fardeaux, Amiya remercia Shiva d'avoir été épargnée. Pour combien de temps ? Onze ans était un âge propice à l'union avec un homme. Elle y avait échappé de justesse. Au début de l'année, une marieuse s'était présentée à la maison, mais ses parents n'avaient pas donné suite à la demande de cette femme car, après consultation des horoscopes, il était apparu que l'avenir du futur couple était menacé. Oui, elle avait échappé à l'horreur. Le promis, bouvier de son état, avait quarante ans et deux épouses. Elle aurait été l'esclave de sa nouvelle famille.

– Toujours la première au puits, Amiya, dit Mili.

Mili était essoufflée. De constitution fragile, elle faisait peine à voir.

– Donnez-moi vos bébés, dit Amiya en déposant sa cruche.

Elles lui remirent les bambins nus. Deux garçons, qu'elle cala sur ses hanches. Dans leur malheur, elles avaient eu de la chance. Mettre au monde des mâles était un gage de reconnaissance. Ils ne pesaient pas lourd entre ses bras ; ils s'appelaient Agniparva, « Éclatant comme le feu », et Rakesh, « Seigneur de la pleine lune », mais ces prénoms magnifiques ne leur garantissaient pas un avenir prospère. Loin de là. Ils étaient nés dans une basse caste et ils y resteraient enracinés, sans possibilité de s'élever.

Amiya déposa de petits baisers sur leurs minois fripés. Mili tirait sur la corde du puits.

Hila l'aida à remplir une cruche, puis elles répétèrent l'opération. Quand les récipients furent pleins, elles reprirent leurs bébés. D'autres femmes les remplacèrent. Le village s'animait. Des files se formaient, des chants s'élevaient, des marmailles se répandaient dans les ruelles boueuses. Les trois amies retournèrent sur leurs pas en saluant des voisines et en se racontant les banales histoires de leur vie quotidienne. Elles avaient toujours un tas de choses à se dire et les nombreux voyages qu'elles effectuaient chaque jour entre leurs maisons et le puits ne suffisaient pas à tarir leurs babils.

Pourtant, elles se turent soudainement. Trois-Yeux et ses deux servantes sourdes et muettes venaient d'apparaître dans la rue principale. Trois-Yeux était la femme la plus redoutée d'Aunrai. Connaissant les philtres, les poisons et la magie, guérisseuse, sorcière, voyante, elle jouissait d'une renommée s'étendant bien au-delà des limites de la région. De riches personnages de Bénarès s'offraient ses services et les brahmanes même la respectaient.

Un vide se créait devant Trois-Yeux au fur et à mesure qu'elle avançait. Elle était vêtue d'un sari jaune et s'aidait d'un long bâton noueux sculpté de signes étranges. Ses longs cheveux blancs s'échappaient du voile qui couvrait sa tête. On disait qu'elle avait plus de cent ans. Mille rides sillonnaient son visage parsemé de taches noires, mais elle avait une denture parfaite qu'elle montrait en souriant. Ce sourire avait quelque chose d'effrayant.

– Que Ganesha nous protège, murmura Hila en cachant le visage de son bébé.

Mili fit de même avec le sien. Toutes deux avaient peur des sorts que la sorcière pouvait leur jeter.

Trois-Yeux les couva du regard et elles sentirent son esprit prédateur les frôler.

– Toujours ensemble, à ce que je vois, dit-elle en parvenant à la hauteur des trois filles.

Puis, s'adressant à Amiya, elle ajouta :

– J'avais dit à ta mère que je désirais te voir, je t'attends toujours.

Amiya faillit perdre l'équilibre. Elle eut le réflexe de saisir la cruche à deux mains puis accéléra le pas.

– Ta mère ne t'a pas avertie ? continua Trois-Yeux.

– Non, jeta-t-elle sans se retourner.

Elle se sentit poursuivie par le mauvais œil. Elle ne savait pas ce que lui voulait exactement cette femme qui passait régulièrement à la maison pour apporter un remède à son père. Sa mère ne lui avait pas fait part de leur entretien. Son père souffrait d'une maladie des poumons ; il toussait, crachait du sang, et on lui appliquait les cataplasmes nauséabonds concoctés par la sorcière.

Amiya, suivie de ses amies, emprunta la première ruelle afin de ne plus être la proie de Trois-Yeux.

– Qu'est-ce qu'elle te veut ? demanda Mili, affolée.

– Je ne sais pas... je ne sais pas !

– Méfie-toi, on dit qu'elle achète des enfants pour les revendre aux rajas...

– Ce sont des histoires !

– C'est vrai, renchérit Hila.

– Jamais un enfant d'Aunrai n'a disparu ! répliqua Amiya.

– Elle va les chercher dans les campagnes.

Mili semblait sûre de ce qu'elle avançait. Pourtant, personne n'avait jamais pu prouver que Trois-Yeux se livrait aux infâmes pratiques des marchands d'esclaves. On ne savait pas grand-chose à ce sujet. Des enfants, parfois même des adultes, étaient vendus telles des denrées. Parfois – encore des ondit –, ils s'enrichissaient en devenant des serviteurs zélés chez les gens des castes supérieures. Ce dernier aspect avait de quoi séduire une pauvresse comme Amiya qui, refoulant sa peur, se mit à rêver aux palais qui s'étageaient en terrasses de marbre et d'or le long du Gange. À Aunrai, pas de palais. On devait faire attention où on mettait les pieds, dans les venelles maculées d'excréments.

Amiya se sépara de ses amies ; elle les retrouverait à la prochaine corvée d'eau. Sa maison, construite en mauvaises briques et en torchis, se dressait dans un renfoncement. Le bas disparaissait sous des montagnes de poteries en terre cuite et les brassées de bois morts servant à alimenter le feu des fours. Un chemin avait été tracé entre une muraille de bols, de vases et de pots qui séchaient sous des toiles goudronnées. Ils vivaient à vingt-quatre dans les cinq pièces du premier étage ; le bas se répartissait entre l'atelier, les cuisines et une pièce commune où ils se réunissaient et prenaient leurs repas.

Les bruits des tours et des conversations lui parvinrent. Prenant une grande inspiration, elle pénétra dans l'atelier où son père, ses six frères et six apprentis travaillaient. Il y régnait une chaleur insupportable. Cinq fours ronflaient en permanence, un jeune garçon en sueur les surveillait. Ce fut le seul qui leva la tête à l'entrée d'Amiya. Il y eut un échange muet entre eux. Elle lui apporta aussitôt un gobelet d'eau fraîche. Le garçon était son seul allié. Mais elle ne pouvait compter sur lui en aucune manière ; il n'était que le dernier des apprentis et ne faisait pas partie de la famille. Il ouvrit un four pour vérifier la cuisson des pièces. Une nouvelle onde de chaleur se répandit dans l'atelier, consumant les hommes qui pétrissaient l'argile et excitant les grosses mouches vertes qui par centaines zézayaient. Ils ne cherchaient plus à les écraser depuis longtemps et elles ne se privaient pas de les piquer pour étancher leur propre soif.

Amiya distribua son eau. Aucun d'eux ne la remercia. Leur ingratitude ne la toucha pas. Il en avait toujours été ainsi. À leurs yeux, elle n'était qu'une servante. Heureusement, elle n'était pas chargée de les alimenter ; deux de ses sœurs plus âgées s'en occupaient. Elle servit son père en dernier. Il désirait qu'il en fût ainsi afin de montrer l'exemple. Elle n'eut pas davantage droit à un regard compatissant. Une fille ne comptait pas aux yeux d'un père. Les filles étaient d'inutiles bouches à nourrir, des fardeaux imposés par les dieux, résultat d'un mauvais karma lors d'une vie précédente. Il but, toussa, cracha et reprit en main le vase dont il était en train de monter les bords.

Amiya considéra qu'elle avait accompli son devoir et se rendit dans les cuisines où s'activaient sa mère, ses sœurs et ses belles-sœurs. Sharvi, sa mère, portait sa fatigue sur son visage. Elle avait été belle autrefois, comme le soulignait son prénom signifiant « Belle Femme », mais cette beauté s'en était allée un peu plus après chaque mousson, chaque enfantement, chaque avortement, chaque enfant emporté par les fièvres ou les épidémies. Des cernes, profonds et bleus, témoignaient des épreuves qu'elle avait surmontées tant bien que mal. Elle ne faisait pas exception à la règle, aucune femme d'Aunrai n'était mieux lotie. Elle avait cependant la chance de ne plus être sous les ordres de sa belle-mère. Cette dernière était morte quatre ans plus tôt, après s'être fracturé le genou. Quant à son beau-père, terrassé par le choléra à l'époque de sa venue dans cette famille, elle ne l'avait pratiquement pas connu.

Aujourd'hui, Sharvi régnait en maîtresse absolue du foyer tout en se conformant humblement aux désirs de son époux et de son fils aîné. Elle devait cependant faire attention à sa belle-fille. Mariée à Payod, son fils aîné, l'Huître manifestait une volonté d'indépendance et un orgueil qui entachaient leurs relations.

Amiya sourit à sa mère. Sharvi était la plus agréable des mères. Elle élevait rarement la voix, ne donnait jamais de coups de bâton, n'imposait pas de corvées dégradantes. Très pratiquante, craignant les dieux, elle demandait tous les jours protection pour sa famille en se rendant au temple, où elle balayait.

Amiya lui remit la grosse cruche d'eau aux trois quarts pleine et s'empara d'un autre récipient. Elle s'apprêtait à retourner au puits quand une de ses sœurs lui demanda :

– As-tu vu les Anglais ?

– Non.

Les femmes présentes redressèrent la tête. Quand on parlait des Anglais, c'était comme si on annonçait la venue des sauterelles.

– Que sais-tu des Anglais ? demanda d'un air inquiet Sharvi à la deuxième de ses filles.

– J'ai entendu des femmes, hier, au marché. Il paraît que de nombreux soldats remontent le Gange et viennent par ici. Ils auraient campé sur la route de Bénarès.

– Ah, fit Sharvi.

Son regard se perdit dans le lointain. Elle se

remémora les propos de son époux et des hommes du village. Il se préparait une guerre contre les sikhs de l'Ouest. On murmurait que la terrible régente du Pendjab, la rani Jundan, enrôlait des milliers d'hommes et encourageait des officiers étrangers à rejoindre Lahore pour y entraîner ses troupes. On disait aussi que beaucoup de souverains désiraient en finir avec la Compagnie des Indes, qui pillait les richesses du pays. Et le mot « Liberté » circulait de bouche en bouche, réveillant les ardeurs belliqueuses des Indiens, des sikhs, des parsis et de toutes les populations qui subissaient le joug des Anglais.

Rien de bon pour les pauvres ne sortirait de ce conflit, Sharvi en avait la conviction. À cet instant, on entendit les échos lointains d'une musique militaire. Les Anglais arrivaient par la route de Bénarès.

2

Par dizaines, les enfants accouraient sur la grand-route, devançant les adultes qui quittaient les ateliers et les champs pour se rendre au-devant des soldats de Sa Majesté.

« Les Anglais ! Les Anglais ! »

Les cris montaient, mais on n'aurait su dire s'ils traduisaient de l'allégresse ou de la crainte. La curiosité poussait cette population habituée à des gestes et des rituels immuables.

« Les Anglais arrivent ! »

Les Anglais... c'était beaucoup dire, car les deux tiers du régiment marchant derrière les drapeaux déployés étaient formés de volontaires indiens. Les roulements des tambours emplissaient l'air ; ils précédaient ceux de l'orage à l'ouest. La mousson n'allait pas tarder à lâcher ses trombes d'eau, mais la tempête prévisible n'inquiétait pas les enfants. Au contraire. Les mois de sravana et de bhadrapada propices aux déluges étaient l'occasion de fêtes et de nombreux jours consacrés aux prières bénéfiques. La vie venait du ciel. C'était une période pendant laquelle les religieux hindous régnaient en maîtres dans le pays. La mousson appartenait aux dieux de l'Inde. Les moines jaïns et les bouddhistes, éternels rivaux des brahmanes, se retiraient dans leurs temples et leurs monastères. Ces mécréants ne répandaient plus leurs pensées impures dans les villes et les campagnes, et les dieux se réjouissaient de leur absence.

Anupam Madhav, le père d'Amiya, était d'une humeur exécrable. En attendant la musique de ces maudits Anglais, il s'était réfugié dans ses comptes. Son sang monta à sa face et il se trompa plusieurs fois, rempilant les petites pièces de cuivre par paquets de dix dans la caissette où il amassait la recette de la semaine. Pas une roupie d'argent. Une misère. On gagnait de moins en moins. C'était à cause des Anglais et de leur Compagnie des Indes, ce monstre qui dévorait les richesses du continent.

– Il faudrait les chasser ! éructa-t-il.

Ses fils courbèrent l'échine, ses apprentis retinrent leur souffle. Tous connaissaient les colères du maître, tous avaient tâté de son bâton.

– Amiya ! À boire ! cria-t-il.

La petite fille ne vint pas. Son visage s'empourpra de plus belle.

– Amiya !

Son œil courroucé et injecté de sang se darda vers la porte de la cuisine, mais personne n'apparut. Il se leva d'un bond. Ce fut alors qu'il s'étrangla en toussant.

– Père ! s'écria Payod, le fils aîné, en se précipitant vers lui.

Anupam n'avait plus la force de marcher. Plié en deux, il cracha de la bile et du sang. La toux l'emportait ; il ne pouvait plus l'arrêter. Payod lui tapa dans le dos en le soutenant. Sharvi apparut avec la cruche. On tenta de le faire boire. En vain.

– Allongez-le ! ordonna-t-elle à ses fils. Payod, va tout de suite chercher Trois-Yeux.

Amiya était à mille lieues d'imaginer que son père était au plus mal. Dès que les Anglais avaient été signalés à l'entrée d'Aunrai, elle était partie avec ses sœurs et ses belles-sœurs à leur rencontre, au risque d'attirer sur elle les foudres paternelles.

« Il n'en saura rien », se dit-elle en se séparant de ses sœurs et belles-sœurs. Elle ne tenait pas à rester près de l'Huître. La femme de son frère la détestait et elle le lui rendait bien. Maintenant, elle était subjuguée par ce qu'elle voyait.

Les soldats en habits rouges défilaient devant elle. Les tambours rythmaient leurs pas cadencés. Ils marchaient le buste et la tête droits, le regard fixé sur l'horizon de leurs futurs exploits. Elle les trouva beaux et fiers. Aucun d'eux ne ressemblait aux hommes du village. Ils étaient bien plus impressionnants que les guerriers indisciplinés du roi Moquesh et des rajas qui se partageaient les fiefs de l'Inde du Nord. Ils semblaient invincibles, pétris des mains mêmes des dieux ; et elle se prit à rêver d'avoir pour époux l'un des fringants officiers qui menaient cette troupe.

Comme pour donner corps à ses pensées, un éclair jaillit du ciel, juste au-dessus du temple, illuminant les passements dorés des uniformes. Les dieux les saluaient. Les nuages crevés laissèrent échapper la pluie. Amiya se demanda pourquoi les villageois ne manifestaient pas plus d'enthousiasme. Depuis l'arrivée des Anglais, il y avait moins de bandits sur les routes ; les thugs, ces affreux assassins qui semaient la terreur, avaient disparu ; et beaucoup de litiges avaient été réglés entre les différentes communautés religieuses. Son père l'aurait battue pour des réflexions pareilles, mais Amiya avait l'intelligence de les garder pour elle. Elle n'avait jamais évoqué ces questions avec Mili et Hila. Ses amies l'auraient regardée avec un air effaré, en se demandant si elle n'était pas possédée. Aucune petite fille, aucune femme même, n'abordait des sujets réservés aux hommes.

La pluie crépitante n'entama pas la résolution des soldats ; ils continuaient à défiler, impassibles. Seuls les chevaux s'énervaient. Des officiers d'un rang élevé apparurent. Leur chef, un commandant ascétique arborant une médaille en forme de croix sur la poitrine, passa, sans un regard pour la populace rassemblée. Il était le conquérant. L'Inde lui appartenait. Il retournerait à Londres avec les honneurs et ajouterait son portrait à la suite de ceux de ses ancêtres. Amiya sentit la morgue de cet homme ; elle fut troublée. À cet instant, sa sœur aînée l'appela :

– Amiya !

Elle s'étonna de la voir si pâle.

– Qu'y a-t-il ?

– Père va très mal. On a besoin de toi pour prier.

Les prières ne suffisaient pas. Papa Anupam continuait à perdre son sang par la bouche. Cependant, Trois-Yeux avait réussi à arrêter sa toux en imposant ses mains sur sa poitrine et en récitant des incantations dans une langue ancienne. Papa Anupam reposait sur sa natte. Ses fils, sa femme et ses amis l'entouraient ; Amiya, ses sœurs et ses belles-sœurs se tenaient en retrait. L'air était irrespirable, chargé de mouches et de moustiques. On suffoquait en contemplant le malade assailli par les cafards.

Sharvi invoquait inlassablement les dieux, aidée par Payod et un cousin d'Anupam ; les autres avaient presque renoncé à lui porter secours par le biais des prières ; ils marmonnaient sans conviction leurs antiennes. « Anupam Madhav n'en a plus pour longtemps », pensaient-ils. Son temps s'achevait. Il avait bien rempli sa vie, sans outrepasser les règles de sa caste, sans vouloir s'élever par d'autres moyens que son savoir de potier, dévotement et honnêtement. Puis il y eut l'incident quand le dernier fils dit :

– Le médecin des Anglais pourrait peut-être le sauver ?

Un froid passa dans la pièce. Tous les regards le fustigèrent. Celui de Trois-Yeux fut comme un poignard. Il avait prononcé des paroles sacrilèges. C'était indigne d'un Madhav, indigne d'un Indien. S'en remettre à un médecin étranger était un grand péché, surtout quand on connaissait la portée de la haine qu'Anupam vouait aux Anglais. Trois-Yeux pointa son index sur la poitrine du jeune impudent, qui ne savait plus où se mettre. Il ressentit une vive douleur.

– Tu devrais avoir honte, fils indigne, gronda-t-elle.

– Je voulais juste... qu'il guérisse...

– Quitte cette chambre !

Le garçon se retira, apeuré.

– Et toi, poursuivit Trois-Yeux en apercevant Amiya parmi ses sœurs, viens prendre la main de ta mère. Elle a besoin de forces.

– Moi ? balbutia la petite fille.

– Oui, toi. Tu as une force que les autres n'ont pas. Viens ici.

Amiya s'approcha tout doucement, la crainte au creux du ventre, la gorge nouée par l'émotion. Elle prit la main de maman Sharvi, accroupie auprès du mourant. Sa mère n'eut aucune réaction ; elle avait le visage grave et fermé, le regard ancré sur la face blême d'Anupam. Et Amiya discerna de la terreur en communiant avec elle.

Sharvi savait ce qui l'attendait. Le trépas d'Anupam entraînerait le sien. Elle était condamnée. Dans le temple d'Hanumant, un mois auparavant, elle avait eu la vision d'un feu. Le feu de son propre bûcher. Elle sortit de son immobilité quand son époux commença à divaguer. Il se mit à appeler Vishnou, Krishna... Il se redressa soudain, les yeux exorbités, étreignit Trois-Yeux un instant, puis retomba mort sur sa natte.

3

Le Pakistan et ses dangers étaient loin derrière eux ; Michel Casenove et ses hommes avaient rendu visite à la rani Jundan à Lahore et, conformément aux accords qu'il avait passés avec elle, il lui avait remis cinq cents fusils et trente mille cartouches contre une belle somme de roupies en or. La régente l'avait prié de rester au Pendjab en lui offrant un grade de colonel mais il avait refusé. Il avait d'autres commandes à honorer tout au long du voyage qui le mènerait jusqu'à Tanjore, où Hiral l'Étincelante, son amour, l'attendait.

Il songeait à elle quand, du haut de son cheval blanc, il se mit à jurer tout haut :

– Les maudits bâtards !

Des Anglais venaient d'apparaître sur la rive brumeuse. Il éprouvait une sincère aversion pour ce peuple. Et de l'admiration aussi. « Ils se sont décidés à ouvrir les hostilités », pensa-t-il plus prosaïquement. L'Angleterre avait un plan de conquête bien plus élaboré que celui de la France, et il y avait fort à parier que le Royaume-Uni s'étendrait un jour de la Méditerranée à la mer de Chine. Son objectif immédiat était de soumettre le Pendjab et de permettre à la Compagnie des Indes d'étendre son influence commerciale en Afghanistan et au Pakistan. Ce n'était pas gagné pour autant. Les armées sikhes de la régente Jundan ne se laisseraient pas si facilement battre. Les Anglais risquaient gros en lançant leurs forces contre un adversaire aguerri. Tout le continent pouvait s'enflammer.

L'Angleterre battue, humiliée, obligée d'abandonner ses possessions... Cette idée le fit sourire. Ses hommes attendaient ses ordres tout en surveillant les précieux chargements qu'ils convoyaient. Un peu inquiets de se retrouver face aux Anglais, ils pensaient à leur part de butin. Ils formaient une bande hétéroclite. Afghans, Turcs, Indiens, sikhs, Tibétains, en tout une cinquantaine d'hommes qui suivaient Michel dans toutes ses aventures depuis douze ans. Dhama, le moine tibétain défroqué, avait été le premier à s'associer avec le Français. C'était devenu un ami. Michel l'avait trouvé un jour, blessé de plusieurs coups de couteau, sur une route menant à Delhi ; il l'avait soigné, nourri et il s'était très vite pris d'affection pour lui. Dhama avait l'esprit vif, parlait plusieurs langues et se battait comme un lion.

Dhama s'approcha de lui.

– Qu'en penses-tu ? demanda Michel.

– Qu'on devrait éviter de croiser leur chemin, répondit le moine.

– Ce serait une lâcheté !

– Les Anglais sont imprévisibles. Et puis nos hommes et les bêtes sont fatigués. Il y a un bois tout près d'ici. Allons-y et campons.

Michel se tourna vers ses guerriers. Dhama avait raison. Ils étaient harassés. Ils avaient passé tant d'épreuves, traversé des pays dangereux, le désert Marusthali, avec ses nuits glaciales et ses journées torrides, les bandits les avaient harcelés de Bikaner à la frontière du Pendjab. Mais ce n'était pas une raison pour tourner le dos aux Anglais.

La gorge de Michel se noua. Des souvenirs affluaient dans sa tête. Il porta une main au-dessus de son cœur. Sous sa veste était dissimulée la Légion d'honneur de son père. Ce dernier l'avait reçue des mains mêmes de l'empereur Napoléon avant la campagne de Russie. Il ne connaîtrait jamais la gloire de son père mort à Waterloo ; il pensa aussi à sa mère aimante, trop tôt décédée. Elle lui avait remis cette médaille qui lui brûlait à présent la peau. Ses parents disparus, n'ayant ni oncle ni tante, Michel avait quitté la France après avoir vendu tous ses biens. Il s'était rendu d'abord en Égypte, puis au Soudan, où il avait fait son apprentissage de « marchand de denrées rares et de produits exotiques » en compagnie d'un aventurier italien. Puis il avait décidé de voler de ses propres ailes dans cette partie du monde où les fortunes se bâtissaient en un mois et se défaisaient en un jour. Et partout, lors de ses pérégrinations, il avait rencontré des Anglais, qui lui rappelaient Waterloo et l'honneur perdu de la France.

Il aurait accepté de suivre les conseils de Dhama si ce dernier, dont la vue portait loin, n'avait pas ajouté :

– Par la défense de Ganesha ! C'est ton vieil ami, sir Charles Amington, qui commande ce régiment !

Michel vacilla sur sa selle. Sir Charles Amington avait juré de le pendre un jour, avec tous les Français de son espèce. Sir Charles était le tenant de la politique antifrançaise en Orient. Ses diatribes publiques étaient violentes ; il se disait prêt à mener une croisade contre « tous les mangeurs de grenouilles » installés en Inde. Michel n'était pas le seul à haïr Amington, dont la renommée de bourreau et d'exécuteur avait largement dépassé le district de Calcutta. Le colonel de Sa Majesté la reine menait la vie dure aux opposants indiens, qu'il n'hésitait pas à faire jeter en prison et parfois fusiller.

– En es-tu sûr ? demanda-t-il au moine.

– Oui... Je te trouve soudain bien pâle, ironisa le moine avant d'éclater de rire.

Dhama avait l'air d'un démon. Il avait perdu toutes ses dents de devant lors d'une bagarre avec les hindouistes à Katmandou, devant le temple de Talija, le jour du sacrifice des buffles. Des cicatrices zébraient son visage et dans ses yeux bridés passaient de fugitives lueurs fauves.

– J'ai une grande admiration pour cet Anglais, persifla Michel en maîtrisant sa colère.

Dhama avait le don de le faire sortir de ses gonds, mais il l'aimait trop pour le rabrouer.

– Nous ne camperons pas dans le bois ! dit Michel.

– De toute façon, il est trop tard. Ils nous ont repérés. Veux-tu que je lui coupe les oreilles ? s'enquit le moine en décroisant les deux sabres qu'il portait en travers du thorax.

– Laissons les sikhs le dépecer, répondit Michel.

– Comme tu voudras.

Dhama remit ses armes en place et reprit son observation.

4

Sir Charles Amington avait Casenove en ligne de mire, au centre de sa longue-vue dépliée. La bile monta, âcre, dans sa gorge.

– Casenove et sa bande de loups ! s'exclama-t-il.

Ces seconds se raidirent sur leurs selles. La rencontre promettait d'être orageuse.

– Sir, que faisons-nous ? demanda prudemment un vieux capitaine.

– Si j'en avais le pouvoir, répondit sourdement Amington, je les exterminerais, mais nous sommes hors de notre juridiction et nous avons une mission prioritaire. Nous devons être arrivés à Delhi dans une semaine afin de renforcer nos positions face aux sikhs.

Les officiers soupirèrent. C'était une décision raisonnable. Elle n'allait pas à l'encontre des désirs du gouverneur général. Mais elle en coûtait à leur chef. Sir Charles Amington, ils ne l'ignoraient pas, voulait la peau de Michel Casenove. Cette haine pour le Français s'était brutalement déclarée depuis que ce dernier bénéficiait de la protection tacite de lord Hardinge, gouverneur général de l'Inde. Hardinge l'avait publiquement remercié, sans le rencontrer, lors d'une cérémonie à Calcutta. Casenove, malgré son aversion pour les Anglais, avait sauvé la vie d'un officier de Sa Majesté et d'une poignée de soldats après le massacre de Khaybar, où l'armée anglaise avait perdu seize mille hommes. Michel, bien que cela ne fût pas consigné par écrit, s'était vu octroyer un droit de passage sur tous les territoires de l'Inde.

« Et cette ordure en profite au-delà de tout », se dit Amington en regrettant de ne pouvoir agir à sa guise.

Hélas, on n'était plus au Moyen Âge. Les échos de la fureur du passé, de la guerre de Cent Ans, les cris de guerre de ses ancêtres en armure moururent dans son esprit. Il n'y avait aucune gloire à tirer d'un affrontement avec un hors-la-loi. Seulement des ennuis...

– Deux hommes avec moi ! commanda-t-il en faisant quitter la route à son cheval.

Le vieux capitaine et un lancier se joignirent à lui, et tous trois galopèrent en direction de la poussière soulevée par la caravane qui s'ébranlait.

Non sans inquiétude, les autres officiers regardèrent s'éloigner leur commandant. Ils connaissaient sa fougue, ses emportements, sa façon brutale de régler les problèmes à coups de cravache et de pistolet, et ils prièrent tout bas Dieu de le protéger.

Le cheval d'Amington avait devancé les autres montures. Il se cabra quand son cavalier tira les rênes. Cela faisait peine à voir. La bête souffrait. Michel ne se départit pas de son calme :

– Sir Amington, quelle surprise de vous voir ici... Qu'est-ce qui vous amène si loin des palais de Calcutta ?

– La guerre, mon cher, la guerre !

– Une guerre ? Ma foi, je n'ai pas entendu tonner un seul canon depuis la bataille de Khaybar...

Sir Amington fit un terrible effort pour ne pas laisser libre cours à sa colère. Ce bâtard de Français prenait plaisir à lui rappeler l'écrasante défaite anglaise en Afghanistan. Il regretta de ne pas pouvoir lui planter son épée dans la gorge. Il n'en aurait pas eu le temps. Dhama, les mains sur les poignées de ses sabres, le surveillait.

– Me prenez-vous pour un idiot, Casenove ? Nous connaissons tout de vos allées et venues. Vous et vos semblables vendez des armes aux sikhs...

– Ah, vous voulez déclarer la guerre aux sikhs ? C'est étrange, j'étais à Lahore, il y a une semaine, et je n'ai rien remarqué de particulier. Les sikhs sont des gens pacifiques.

Le ton ironique de Michel fit grincer les dents d'Amington. Le colonel préféra changer de sujet :

– Et vous-même, que rapportez-vous de Perse ?

– Comme d'habitude, des tapis et des objets précieux. Je ferai parvenir un présent à lord Hardinge dès que je serai à Bénarès. Comment va-t-il, au fait ?

– Très bien. Il a demandé à être provisoirement relevé de ses fonctions de gouverneur pour reprendre du service au sein de l'armée. Il désire être aux premières loges quand la guerre éclatera. Il serait dommage qu'il soit blessé par l'une des armes que vous avez vendues à la rani Jundan...

Michel ne trouva rien à répliquer. La

démission provisoire du lord n'arrangeait pas ses affaires. La Compagnie des Indes demanderait tôt ou tard sa tête.

– Je regrette de ne pouvoir vous convier à prendre le thé, dit-il enfin, mais j'ai encore beaucoup de chemin à parcourir et mes hommes ont hâte de retrouver leur famille... Adieu, sir !

Amington ne répondit pas. Il avait déjà tourné bride. Michel le regarda s'éloigner.

– Tu aurais dû me laisser le tuer, dit Dhama.

– Et mettre en péril nos hommes ? Non. Éliminer Amington nous obligerait à vivre comme des proscrits jusqu'à la fin de nos jours.

– Le monde est vaste et il n'appartient pas dans son entier aux Anglais. Nous pourrions vivre en dehors de l'Inde.

– Je te rappelle que Hiral m'attend à Tanjore. Je ne quitterai jamais l'Inde sans elle.

Dhama était à court d'arguments. Hiral et Michel. Deux êtres inséparables. Il enviait un peu son ami. Il ne s'était jamais lié d'amour avec une femme. Il n'avait jamais rencontré son « Hiral ».

Michel reprit sa marche à la tête de la caravane. À présent, il ne pensait qu'à rejoindre l'Étincelante, la plus grande des danseuses sacrées du sud de l'Inde. Elle dansait pour Shiva depuis l'âge de dix ans et on murmurait qu'elle avait les faveurs du dieu.

Michel enrageait cependant car Hiral avait continué à se prostituer pour entretenir le temple, amassant une fortune considérable. Elle avait promis d'arrêter à condition qu'il mette fin à ses voyages périlleux. Il était prêt à accepter. Tout en cheminant dans la poussière, il eut la vision de son mariage avec Hiral.

Oui, il en ferait son épouse, il la ravirait à Shiva. Bientôt, elle danserait pour lui seul.

5

Amiya pleurait ; elle mêlait ses larmes à celles de ses sœurs, de ses tantes et de ses cousines. Une seule femme de la famille n'éprouvait pas de peine : l'Huître, sa belle-sœur, l'épouse de son frère aîné Payod.

L'Huître contenait sa joie ; elle la dissimulait derrière son faciès aux traits épais, sous la lourdeur de ses paupières cachant son regard avide. Elle remerciait silencieusement la tradition qui condamnait sa belle-mère à la mort. Sharvi allait être brûlée, conformément à un usage qui remontait à la nuit des temps et, personne chez les Madhav n'oserait aller à l'encontre de cette décision tacite.

La veille, Payod, nouveau maître du clan, avait pris toutes les garanties auprès des brahmanes. À un moment, l'Huître avait redouté que les religieux du village ne s'opposent à la crémation de l'épouse car les Anglais et les progressistes menaçaient de pendaison « ceux qui se livraient à des rites barbares ». Mais ces menaces étaient restées jusqu'à présent lettre morte et les prêtres d'Aunrai, ne craignant pas d'être punis, avaient donné leur accord officiel à Payod.

L'Huître n'avait pas dormi de la nuit, arpentant la maison qui désormais allait lui appartenir.

Le bûcher avait été dressé sur les bords du Gange, distant d'Aunrai de quelques kilomètres. On s'en rapprochait en psalmodiant des prières. Le cortège était impressionnant. Ils étaient nombreux à se déplacer pour accompagner le défunt. Anupam Madhav était un homme respecté et aimé, qualifié dans son travail. Ses poteries et ses ustensiles en terre cuite étaient utilisés par tous les villageois, qui se souvenaient de l'homme pieux et du bon père de famille qu'il avait été durant toute sa vie.

Maman Sharvi, vêtue de son beau sari rouge à liseré d'argent, soutenue par son fils Payod, marchait derrière la dépouille. Suivaient les autres fils, les filles, les trois belles-sœurs, dont l'Huître. Amiya sentait le regard mauvais de cette dernière dans son dos. Et elle redoutait les jours à venir. Trois-Yeux n'était pas loin, seule sur le côté de la route. Tout le monde l'évitait. Silencieuse, elle piochait la boue avec son bâton, le regard perdu sur le Gange.

Ils avançaient lentement. La boue leur montait jusqu'aux genoux, ralentissait leurs pas, mais il ne pleuvait pas. La mousson rassemblait ses forces : elle ne les déchaînerait pas avant le début de l'après-midi. Des hommes et des femmes du village portaient des fagots de bois secs sur leurs épaules et leurs têtes. Quand ils atteignirent le bûcher fait de rondins et de souches, ils déposèrent leurs fardeaux selon les conseils du prêtre.

Le cœur d'Amiya s'emballa. La petite fille retenait son souffle ; elle aurait tant voulu prendre sa mère dans ses bras et la serrer très fort. Mais les gestes d'affection avaient été bannis depuis longtemps dans les petites castes.

Toute à son émotion, Amiya n'entendit pas arriver Trois-Yeux. Elle tressaillit lorsque la sorcière la prit par l'épaule.

– Ta mère se réincarnera vite et aura une vie meilleure, dit la vieille femme.

Amiya n'avait pas les certitudes de Trois-Yeux.

– Et si elle se réincarnait en chien... ou en serpent...

Amiya se mit à renifler. Les larmes montaient à nouveau à ses yeux.

– Pour cela, il aurait fallu qu'elle mène une vie dépravée, qu'elle trahisse son époux, qu'elle n'honore pas les dieux...

– Elle n'est pas encore morte ! Sauve maman, tu en as le pouvoir !

– Non, je n'ai pas le pouvoir que tu me prêtes. Son destin doit s'accomplir.

– Je te déteste !

Amiya s'écarta brusquement de Trois-Yeux.

– Tu ne me détesteras pas toujours. Quand les cendres de tes parents seront diluées dans le Gange, quand on commencera à les oublier, tu viendras à moi.

– Jamais !

– Tu viendras. C'est écrit dans les étoiles.

On jetait des regards craintifs vers la sorcière et on s'apitoyait sur la petite fille qui contournait le bûcher. Amiya tenta de rejoindre sa mère, mais elle fut repoussée par deux de ses oncles.

– Reste en arrière, lui commanda l'un d'eux.

Et elle resta en arrière, entendant sa mère répéter « Non ! Non ! Non ! », pendant que ses fils plaçaient le cadavre d'Anupam au centre du bûcher.

Sharvi ne voulait pas rejoindre son époux. Elle se souvenait de sa propre mère se tordant dans les flammes, de sa tante se consumant dans les cendres ardentes, d'une amie se diluant en fumée dans le ciel. Leurs cris emplissaient sa tête ; elles avaient été injustement condamnées à périr d'une manière atroce au nom du fanatisme religieux. Elle se sentit saisie, emportée.

Amiya vit ses frères hisser sa maman au sommet du tas de bois ; elle entendit le brahmane qui commandait à la pauvre femme de se conduire dignement. Elle parut se calmer, puis se cabra et échappa aux mains de ses fils ; elle se précipita hors du bûcher et se heurta à un mur d'hostilité. D'autres mains lui interdirent de s'échapper et la repoussèrent. Sharvi n'avait plus de parents, plus d'amis. Tous voulaient qu'elle disparaisse. On ne voulait pas d'une veuve à Aunrai. Les veuves étaient des parias, leur statut était pire que celui des intouchables. Elles devaient se raser le crâne, porter des habits de mendiants, manger les restes et vivre comme des bêtes. Pas d'objet de honte à Aunrai ! Sharvi devait être réduite en cendres !

– Maman ! Maman ! Viens avec moi ! cria Amiya en se frayant un chemin jusqu'à elle et en parvenant à lui saisir un bras.

Elle batailla fermement pendant un moment, griffant et mordant ceux qui tenaillaient sa mère. Elle s'imaginait arrachant sa maman à la foule et courant jusqu'à l'une des barques amarrées le long du fleuve. Elle se vit voguer vers Bénarès. Toutes deux se cacheraient dans la grande ville et...

Elle poussa un cri de douleur. Quelqu'un l'avait attrapée par sa tresse et la tirait violemment en arrière. Elle fut arrachée à sa mère et découvrit avec haine et horreur le visage de celle qui la martyrisait.

– Petite garce ! jura l'Huître en la secouant.

Sa belle-sœur prenait plaisir à lui faire du mal. Elle lui donna un dernier coup de pied dans les reins, puis la relâcha. Meurtrie, le souffle coupé, Amiya tomba à genoux dans la boue.

La veuve, au grand soulagement de l'Huître, avait été replacée près du cadavre pourrissant d'Anupam. Un prêtre de Vishnou lui lia les bras et les jambes et précipita le rituel. Les torches furent allumées, les fagots enflammés...

Le souffle du feu passa sur Amiya. Elle releva la tête, son regard éperdu tendu vers les flammes. Les crépitements et les grondements du bûcher furent couverts pendant un bref instant par les hurlements de Sharvi. Amiya perdit connaissance.

C'était fini. En une blanche fumée, le double désincarné de Sharvi monta vers le ciel noir de la mousson. La ferveur religieuse retomba. L'Huître était désormais la maîtresse du foyer des Madhav. Elle contempla Amiya portée par Payod, son époux, et se promit de s'en débarrasser le plus vite possible.

6

Il y avait toutes ces fumées s'élevant le long des berges du Gange, toutes ces signatures funestes sur le ciel menaçant, tous ces croyants se baignant dans les eaux boueuses du fleuve. Michel était toujours impressionné par le spectacle que donnait le Gange borné par les bûchers, les cadavres flottant dans les eaux sacrées. Et il contenait sa rage lorsqu'il apercevait des femmes transformées en torches vivantes dans les flammes. Mais que pouvait-il faire contre le poids des traditions ? Cette Inde le terrifiait et le fascinait à la fois. Il enviait l'impassibilité de Dhama. Le moine revenait de sa mission de reconnaissance. Il s'était rendu jusqu'au village d'Aunrai, qui se trouvait à la croisée des grandes routes.

– Tout est calme, dit-il en menant sa monture contre celle de Michel. Pas d'Anglais en vue, pas de signe de révolte, pas de trace de bandes armées. Si la mousson se contient, nous pourrons atteindre Bénarès avant la tombée de la nuit.

– Soyez vigilants ! dit tout de même Michel en se tournant vers ses hommes.

Vigilants, ils l'étaient en permanence. Dhama était toujours d'un naturel optimiste. Ils ne se relâcheraient pas au moment d'atteindre la grande route empruntée par une multitude de pèlerins et un nombre considérable de caravanes. La voie la plus fréquentée de l'Inde du Nord était infestée de voleurs. Ils resserrèrent les rangs autour des animaux de bât chargés de biens précieux en parvenant sur la rive gauche du fleuve où aboutissait la route d'Aunrai à Bénarès.

Ils rattrapèrent une foule qui s'immobilisa et se fendit pour les laisser passer. Les gens reconnurent celui que beaucoup nommaient « le démon blanc », escorté de ses guerriers.

– Le Français, murmura quelqu'un.

Ils voyaient Michel Casenove deux fois par an ; il était comme une légende à leurs yeux.

Michel sentit peser sur lui les regards de ces paysans. Il leur inspirait de la crainte et du respect. Sa barbe noire aux reflets roux dissimulait mal ses traits d'Occidental. Au mieux, on pouvait le confondre avec un noble personnage afghan ou un Turc de la Sublime Porte. Mais à l'évidence, il n'avait pas de sang indien.

Quand Payod se figea, Amiya battit des paupières et reprit connaissance ; elle avait été coupée du monde durant de longues minutes. La réalité la ramena dans un état de désespoir et la vue de son frère la révulsa. Elle le tenait pour responsable du supplice de leur mère. Elle se tortilla ; il la lâcha. Elle découvrit alors la troupe menée par le démon blanc, mais à ses yeux, ce n'était pas un démon. Elle le voyait autrement. Une aura dorée auréolait cet homme qu'elle devinait généreux et honnête, courageux et protégé des dieux. Amiya avait un don pour percer à jour la vraie nature des êtres.

Elle eut soudain le désir de partir avec lui, de devenir sa servante. Il rayonnait de gloire. Il ne broncha pas quand, de tous les fronts des cieux, les éclairs surgirent. La foudre fendit un arbre tout proche, des femmes poussèrent des cris. C'était le signe qu'attendait Amiya. Elle se précipita vers le fier cavalier et se pendit à sa jambe.

– Puissant Seigneur, emmène-moi avec toi ! Je t'en supplie, au nom de Vishnou, prends-moi à ton service !

Michel était décontenancé par l'apparition de cette petite fille. Il la contempla. Elle s'agrippait désespérément à sa botte, le regard agrandi par ce qui semblait être de l'effroi.

– Je sais faire la cuisine, coudre... et je sais chanter, ajouta-t-elle avec émotion.

– Tiens-toi sur tes gardes, lui glissa Dhama, qui s'était rapproché d'eux.

Les villageois chuchotaient entre eux. Certains se montraient hostiles. Michel n'avait jamais affronté pareil cas. À tout instant, la situation pouvait dégénérer. La tempête électrisait les esprits.

– Amiya, laisse l'étranger tranquille ! cria un homme jeune sur un ton menaçant.

Il paraissait cependant être le chef. Michel s'adressa à lui :

– Où sont les parents de cette enfant ? demanda-t-il.

– Je suis Payod, son frère aîné. Nous portons le deuil de nos parents, nous revenons de leur bûcher.

– Hum, fit Michel.

– Ma sœur Amiya n'a pas supporté leur disparition. Excuse-la, continua Payod.

– Ils ont brûlé maman, sanglota Amiya. Emmène-moi, répéta-t-elle encore. Je ne veux pas devenir leur esclave.

La gorge de Michel se noua. Il étouffa sa colère. Il imagina la petite fille assistant au supplice de sa mère. Elle levait vers lui son visage d'ange baigné de larmes. Il ne pouvait rien faire pour elle ; elle appartenait à sa famille.

– Je ne peux pas t'emmener, dit-il d'une voix sourde.

Amiya gémit en lâchant la jambe de Michel. Elle demeura pétrifiée, ses grands yeux rivés sur lui. Elle ne tenta pas d'échapper à l'étreinte brutale de son frère. Payod la souleva et l'emporta.

Bien après qu'il eut quitté Aunrai, le remords assaillit Michel. Il avait toujours en tête le regard implorant de la fillette. Il se dit qu'il aurait peut-être pu l'acheter à son frère, la ramener à Hiral. Ils n'avaient pas d'enfant et c'était un drame dans leur vie. Hiral, prostituée sacrée, avait été rendue stérile par les puissantes médecines préparées par les gourous des temples. Plus rien ne pousserait jamais dans son ventre mort.

Il l'imagina découvrant Amiya, la prenant

dans ses bras, lui caressant les cheveux, lui donnant la meilleure des éducations. Hiral en mère.

« Elle aurait été heureuse... si heureuse... »

Son imagination s'emballait. Il voyait la petite fille dans le palais, habillée de merveilleux saris, riant. Cela aurait été un nouveau départ dans sa propre existence, car lui aussi se désespérait de ne pas être père. Il était ailleurs, laissant son cheval le conduire. Dans sa tête, il s'imaginait guider Amiya comme si elle venait de naître, il la voyait recevoir l'initiation brahmanique qui était une seconde naissance. Il savait qu'elle n'avait pas abordé cette initiation car elle n'appartenait pas aux trois premières castes, et de toute façon les filles ne fréquentaient généralement pas les écoles initiatiques.

Mais la fille de Hiral et de Michel aurait ce droit ; elle apprendrait les Veda, les textes sacrés qu'elle saurait réciter, la grammaire, la poésie, l'astronomie et les mathématiques. Comme Hiral, elle connaîtrait l'essentiel des arts.

– Et je lui enseignerai le français, dit-il tout haut, attirant l'attention de Dhama.

– Tu m'as adressé la parole ? demanda ce dernier avec perplexité.

Il sentait Michel tourmenté depuis l'incident sur les bords du Gange.

– Non...

– Qu'as-tu, mon ami ?

– Je pense à cette petite fille... Elle avait l'air si malheureuse. J'aurais dû proposer de l'argent pour la prendre à mon service.

– Bah... Cesse de te tourmenter. Tu ne peux pas sauver tous les enfants malheureux. Ils sont des millions, dans ce pays.

– Cette Amiya avait quelque chose de différent...

– Tu vieillis, Michel...

– Oui, c'est vrai, je vieillis. Je vieillis et je n'ai pas d'héritier, soupira-t-il en incitant sa monture au trot.

Il avait besoin d'être seul pour cacher sa tristesse et son désarroi. Il s'éloigna de la caravane. Le visage d'Amiya le poursuivit. Il ne pourrait jamais l'oublier.

7

– Elle est impure ! tonna l'Huître.

– Comment ça, impure ? s'étonna Payod.

– Elle a touché le démon blanc ! Elle lui a demandé protection ! Elle a son mauvais œil en elle !

L'Huître avait pris toute sa dimension. En quelques heures, elle s'était attribué tous les pouvoirs. Ceux de papa Anupam et de maman Sharvi. Elle était bien plus qu'une épouse ordinaire. Payod, qu'elle dominait, était une marionnette entre ses mains. Elle portait déjà les bijoux de Sharvi.

Armée d'une baguette souple de bois, elle tournait autour d'Amiya, agenouillée et tremblante. Personne ne disait mot. Frères et sœurs ne désiraient pas s'attirer les foudres de la nouvelle maîtresse de la maison.

– Nous allons remettre de l'ordre ici ! continua l'Huître en faisant siffler la baguette devant elle. Et ne t'avise plus de prendre la défense de ta sœur ! persifla-t-elle en se plantant devant son mari.

– Je reconnais qu'elle a fauté et qu'elle nous a fait perdre la face, dit Payod, dont les épaules s'affaissaient et le dos se voûtait.

Satisfaite, l'Huître se retourna vers Amiya et cria :

– Poison !

Elle cingla violemment le dos de la petite fille. Elle ne s'attendait sûrement pas à la réaction de cette dernière : se dressant d'un bond, Amiya griffa sa tortionnaire au visage.

L'Huître se figea, médusée par cette rébellion. La petite garce venait de l'humilier devant tout le monde... et ce cancrelat continuait à la défier du regard. Alors, prise d'une rage folle, l'Huître lui porta un coup au visage. Amiya, sans se laisser submerger par la douleur et la peur, échappa à la seconde charge de l'Huître en se glissant sous le bras qui maniait la baguette.

– Rattrapez-la ! hurla l'Huître.

Amiya évita les mains qui se tendaient vers elle. Le plus jeune de ses frères aurait pu la saisir par la taille, mais il n'en fit rien. Lui aussi détestait l'Huître. Les autres se gênèrent dans leurs actions. Amiya leur échappait ; elle était trop agile et courait vite. Elle atteignit la rue et sauta par-dessus une haie de poteries qui séchaient.

– Arrêtez-la ! Arrêtez-la ! criait-on derrière elle.

Ils vociféraient en vain. Les voisins ne bronchèrent pas et leur passivité traduisait l'estime qu'ils portaient à la nouvelle Mme Madhav.

Amiya distança ses poursuivants et disparut dans les ruelles tortueuses d'Aunrai. La pluie diluvienne qui tomba soudain du ciel favorisa sa fuite.

Amiya ne réfléchissait pas ; elle continuait à courir, en direction de la rivière. La pluie redoubla de force et les éclairs embrasèrent l'atmosphère. Essoufflée, Amiya se réfugia sous un arbre, près du temple à la sortie du village ; elle resta prostrée longtemps entre les grosses racines qui plongeaient dans les eaux de la rivière.

Qu'allait-elle devenir maintenant ?

Tout s'embrouillait dans sa tête. Son avenir, elle le voyait aussi noir que le ciel de la mousson au crépuscule. De toute façon, les enfants de sexe féminin de sa caste n'avaient pas d'avenir. Et elle n'avait jamais désiré qu'il ressemblât à celui de Hila et de Mili.

Quelqu'un éternua. Elle sursauta. Fausse alerte.

« Le sadhu de la rivière », pensa-t-elle en poussant un profond soupir de soulagement.

Dressé sur une jambe tel un oiseau aquatique, il ressemblait à un squelette. Il gardait une immobilité parfaite au sein des roseaux que le courant remuait. Comment pouvait-on rester ainsi des heures durant dans la rivière ? Il avait pour habitude de migrer à la fin du mois d'août, pendant la fête de Ganesha, pour se rendre sur les bords du Gange, où il retrouvait des saints hommes de sa congrégation.

Au grand étonnement d'Amiya, qui croyait les sadhus insensibles aux maux, il éternua encore. À cet instant, il prit conscience de la présence de la petite fille et son regard halluciné se posa sur elle. Jamais un saint homme ne l'avait regardée ainsi et encore moins ne lui avait adressé la parole :

– Les dieux t'ont donc choisie, dit-il d'une voix chevrotante.

– Je suis Amiya, de la famille des Madhav, dit-elle. Les dieux ont voulu que je naisse dans une caste inférieure... Ils ne me voient pas, ajouta-t-elle tristement.

Le sadhu s'apprêtait à répondre quand Payod apparut et se jeta sur elle.

– Je te tiens ! éructa-t-il triomphalement.

Amiya se débattit, mais elle n'était pas de taille à résister à l'emprise de son frère, jeune homme robuste qui la dépassait de deux têtes. Payod la souleva comme un sac de riz et la jeta sur son épaule. Puis il se figea en étouffant un cri de surprise. La main décharnée du sadhu s'était posée sur son bras.

– Que me veux-tu ? bredouilla-t-il.

– Les dieux l'ont choisie. Personne ne doit lui faire de mal sous peine de connaître leur colère. J'ai vu le destin de cet enfant. Pose-la à terre.

Payod était décontenancé par ce qu'il entendait. La vérité sortait toujours de la bouche des saints hommes, qui jouaient parfois le rôle d'oracles au sein des communautés. Amiya ne se débattait plus. Elle attendait la suite, elle sentait les tressaillements de son frère.

– Je dois la ramener chez nous. Elle a trahi notre caste ; elle doit être châtiée, dit Payod en imaginant la colère de son épouse s'il revenait les mains vides.

– Le premier d'entre vous qui meurtrira cette enfant dans ses chairs sera atteint du mal noir. Kali la vengera !

Au nom de Kali, à l'évocation du mal noir, Payod se mit à trembler sur ses jambes. Mais il avait plus peur de l'Huître que de Kali la Noire. Il ne voulait plus rien entendre. Il partit d'un pas rapide vers Aunrai. Il saurait mettre en garde sa famille et contenir le caractère violent de son épouse en leur répétant les paroles du sadhu.

Ils avaient été atterrés en entendant Payod raconter son aventure à la rivière. L'Huître avait tempêté contre les sadhus, mais elle n'avait pas osé punir Amiya. Cela faisait une semaine qu'elle rongeait son frein. En attendant de trouver un moyen de détourner l'attention de Kali la Noire, l'Huître se vengeait à sa manière. Amiya était privée d'un repas sur deux et elle était utilisée à toutes sortes de tâches ingrates. L'Huître l'accaparait dès l'aube et l'accablait de fatigue en la forçant à porter des fardeaux énormes, l'obligeait à sortir quand la mousson lâchait ses eaux et à prier les dieux durant des heures.

Amiya était en train de préparer les pains pour toute la maisonnée, sous l'œil vigilant de sa belle-sœur qui cousait. C'était l'une des rares tâches qu'elle accomplissait volontiers. Mais elle ne le montrait pas. Son visage demeurait fermé, son regard triste ne se levait jamais sur l'Huître. Elle s'attendait d'un jour à l'autre à recevoir un châtiment corporel, mais pour l'instant la peur de Kali empêchait sa belle-sœur d'agir.

L'Huître prit un pain sur la plaque chauffante posée sur l'âtre, déchira la pâte avec ses dents et la mâcha lentement pour en éprouver la texture et la saveur. Le pain était parfait. Il n'y avait rien à dire, et c'était bien dommage.

– Au moins, tu sauras nourrir ton mari, ricana-t-elle.

Amiya releva la tête. Des plis d'inquiétude barraient son front. Qu'insinuait l'Huître ? La mauvaise femme la soupesait du regard, l'évaluait comme on évalue un morceau de viande à l'étal du boucher.

– Tu as hérité du talent de ta pauvre mère pour la cuisine, c'est certain, poursuivit l'Huître.

– Je t'interdis de parler de maman.

– Tu n'as rien à m'interdire. C'est moi qui commande ici ! Et tu ferais mieux d'apprendre à te taire et à obéir si tu veux plaire à l'homme qu'on t'a choisi... Hé oui, cancrelat, inutile de me regarder avec ces yeux d'idiote. Tu as bien compris. On va te marier.

– Non !

– Tu n'as pas ton mot à dire ! Ah, tu me regretteras, j'en suis sûre.

Amiya était anéantie. Un abîme venait de s'ouvrir sous ses pieds. La gorge serrée, elle demanda :

– Avec qui ?

– Avec Puru, le septième fils des Jaham... Je me demande si nous n'aurions pas mieux fait de te vendre au démon blanc. Tant pis, il ne faut rien regretter.

Amiya contint son chagrin. L'Huîtrc se serait réjouie de la voir pleurer. Puru Jaham... elle avait rencontré les jours de marché ce garçon insignifiant ; elle n'arrivait même pas à se rappeler son visage. Les Jaham vivaient chichement des produits de la terre. Ils possédaient deux rizières et un lopin de légumes. Ils tressaient aussi des paniers qu'ils vendaient sur la grande route menant à Bénarès. On disait que la mère était d'une dureté extrême et qu'elle traitait ses belles-filles comme du bétail. Elle en avait battu une à mort, parce qu'elle lui tenait tête.

La mère Jaham était peut-être pire que l'Huître.

– Je ne me marierai pas avec Puru, murmura Amiya.

– C'est moi qui l'ai choisi, tu ne me feras pas perdre une seconde fois la face. Je te traînerai jusqu'au temple par les cheveux s'il le faut.

– Que Kali t'entende ! dit Amiya en se redressant.

L'Huître pâlit. Elle regarda autour d'elle, comme si elle s'attendait à voir apparaître la terrible déesse.

– Kali me vengera, continua Amiya d'une voix forte. Elle t'enverra le mal noir et tu connaîtras alors son royaume.

– Tais-toi ! Tais-toi ! s'écria l'Huître en quittant précipitamment la cuisine.

Amiya ne retint plus ses larmes. Elle, que les dieux avaient choisie, allait être livrée à un homme qu'elle n'aimait pas. Son destin d'esclave s'affirmait. Elle ne rencontrerait jamais le prince de ses rêves.

8

Hiral, l'Étincelante, était une légende vivante, une de ces femmes d'exception dont rêvent tous les hommes. Non seulement elle connaissait les soixante-quatre arts pratiqués en Inde, mais elle avait aussi une maîtrise parfaite des soixante-quatre positions sexuelles décrites dans le Kama-sutra. Cet aspect avait suscité bien des convoitises tout au long de sa vie de danseuse... et bien des jalousies. Ses rivales souhaitaient sa mort et n'hésitaient pas à louer les services des jeteurs de sorts pour lui porter malheur.

Hiral ne se souciait pas des magiciens et des sorciers. Elle était intouchable. Shiva la protégeait. Elle se contempla intensément dans les grands miroirs qui lui renvoyaient son image à l'infini. Aucun vêtement ne dissimulait son corps sans défaut sculpté par des années de danse. Des bracelets d'or brillaient à ses chevilles et à ses poignets. Deux longs poignards aux lames très aiguisées jetaient une note inquiétante entre ses mains baguées. Elle les tenait contre sa poitrine. Elle les pointa soudain vers son double dans l'un des miroirs et clama :

– « *Krte pratikrtam kuryat pratitaditam/ Karanena ca tenaiva cumbite praticumbitam*[1]. »

Puis elle se tourna vers Shiva, dont la statue trônait sur l'autel dressé dans la salle où elle s'exerçait régulièrement à l'abri des regards. Elle enchaîna quelques pas complexes en faisant siffler les lames dans l'air épaissi par les fumées d'encens. Elle exprimait son courroux en roulant des yeux et en fronçant les lèvres. Cette nuit, elle se produirait pour la dernière fois devant les hommes les plus influents de la ville de Tanjore. Cette nuit, elle danserait une dernière fois pour le dieu. Elle se tourna vers lui.

– Plus jamais je ne te servirai ! lui dit-elle.

---

1. « Chacun des amants doit répondre à une action par une action, à des coups par des coups, pour toute activité la même activité. »

En lui parlant ainsi, elle ne l'offensait pas. C'était dans l'ordre des choses. Arrivait le moment où les danseuses devaient se retirer de la vie publique et abandonner leurs devoirs religieux aux plus jeunes. Gracile, précise dans ses gestes, elle enchaîna d'autres pas en s'éloignant de la statue. Plus jamais elle ne vendrait son corps pour enrichir les temples et les prêtres. Elle l'admettait, elle s'était enrichie elle-même en profitant de la cupidité de ses admirateurs. Après cette nuit, elle attendrait sans faillir l'homme qu'elle aimait. Elle se figea soudainement et pensa très fort à lui.

Son Michel...

Il devait être en Inde à présent, en route vers le sud, accompagné du fidèle Dhama. Elle eut une image nette de lui sur son cheval blanc car leur lien d'amour était si puissant qu'elle pouvait parfois cheminer à ses côtés.

L'intervention de sa camériste, Ardash, la coupa de ce lien :

– Tu es toujours la plus belle, dit la jeune femme. Et tu resteras à jamais la préférée des dieux.

Une jeune fille portant un coffret l'accompagnait. Il contenait des fards et des pinceaux. Elle le présenta à Hiral. D'autres servantes, les bras chargés de vêtements, de voiles et de bijoux, firent leur apparition. Toutes enviaient Hiral ; elles rêvaient d'être à sa place, d'être aimées par le sahib Michel, le plus courageux et le plus généreux des hommes. Elles entourèrent leur maîtresse.

– Est-ce vrai que tu ne danseras plus jamais après cette nuit ?

– Nous garderas-tu à ton service ?

– Resteras-tu à Tanjore ?

– Tu vas te marier avec lui ?

Elles l'assaillirent de questions. Elle répondit au mieux, les rassurant. Tant qu'elle serait vivante, aucune d'elles n'aurait à se soucier de l'avenir. Ce palais était aussi le leur.

– Je continuerai à danser pour lui seul.

Après cette nuit...

Un pinceau carminait ses lèvres, un autre redessinait ses sourcils. On lesta ses oreilles de diamants bleutés, pareils à celui qui brillait sur l'aile droite de sa narine. Ces boucles lui avaient été offertes par Michel.

« Ne plus penser à lui maintenant... Ne plus penser à lui... »

C'était une torture. Elle allait danser pour d'autres hommes et faire ses adieux au cours d'une fête somptueuse dont elle avait fixé le prix. Le marché avait été conclu bien avant la mousson avec les trois plus riches marchands de la province. Elle avait déjà reçu un acompte de neuf mille roupies d'argent ; elle obtiendrait en outre vingt et une livres d'or fin, trois chevaux pur-sang et trente grosses perles sans défaut. Ils auraient payé le triple si elle l'avait exigé. Elle était la favorite et la protégée de Shiva. Le dieu s'exprimait à travers elle.

Le dieu sur son autel la contemplait ; il la voyait se transformer sous les mains habiles des servantes ; il la voyait s'apprêter en danseuse sacrée pour la dernière fois.

Demain, elle ne le servirait plus. Demain, elle appartiendrait à un autre à jamais.

9

Sa terrible belle-mère venait de lui arracher un œil. Amiya se mit à hurler, puis le sol se déroba sous elle. La chute la réveilla. C'était un cauchemar. Il faisait nuit ; elle haletait sur sa paillasse, avalant à petites goulées l'air chaud et humide. Ses sœurs dormaient profondément ; des ronflements lui parvenaient de la pièce voisine, où s'entassaient les hommes. L'une de ses belles-sœurs, Aboli, grommela quelque chose dans son sommeil, s'agita. Amiya la discernait à peine, forme ronde couchée sur le côté. Aboli atteignait son septième mois de grossesse et on avait prédit que ce serait un garçon. Le premier de la nouvelle lignée des Madhav.

Cette perspective faisait enrager l'Huître, qui n'avait pas encore donné un enfant à

Payod. En trois ans de mariage. Son ventre demeurait stérile malgré les offrandes au temple et les remèdes censés la rendre fertile. La jalousie de l'Huître allait en être décuplée, et Amiya en serait la première victime. Dans tous les cas de figure, elle n'échapperait pas à la souffrance. Son union avec Puru avait été définitivement arrangée entre les deux parties. Dans quelques heures, son fiancé se présenterait ici.

Elle en eut mal au ventre. Elle se sentit plus que jamais prisonnière de son destin. Elle s'accrocha à un mince espoir, aux paroles du sadhu de la rivière. Et s'il avait dit vrai ? Si elle était réellement l'élue des dieux ? Ces derniers n'empêcheraient-ils pas ce mariage ?

Elle devait se rendre au temple et guetter un signe. Sa résolution prise, elle rampa entre les corps endormis, atteignit le rez-de-chaussée et gagna la rue.

Les nuages de la mousson s'étaient dilués et avaient laissé place aux brillantes constellations qui combinaient leurs étoiles. Elle leva les yeux vers le firmament. L'avenir des hommes se lisait dans le zodiaque, mais Amiya ne connaissait rien à la science des astrologues. Elle se contenta d'adresser une muette prière à la lune pleine et nacrée.

Une ombre passa sur la lumière laiteuse. Était-ce un oiseau de nuit, une chauve-souris ? Était-ce un génie ? Était-ce Shiva ? Elle la suivit, traversa le village et atteignit la rivière. L'ombre toucha les flots et produisit un tintement cristallin.

– C'est Shiva, finit par murmurer Amiya.

L'émotion l'étreignit. Le dieu dont les mouvements du corps agitaient l'univers, celui dont la parole recouvrait toutes les langues, Shiva, le serein Seigneur qu'Amiya sentait venir. Amiya aimait ce dieu, dont le nom signifiait « bon », « gentil » ; il avait détruit les démons et régénéré le monde. Elle l'imagina écrasant l'Huître du pied droit comme il avait écrasé le nain difforme Mulayaka, qui symbolisait la nature mauvaise de l'homme ; elle le désirait près d'elle, la défendant avec son trident et sa hache magique.

Amiya y croyait. Le sadhu avait dit vrai. Sa vision du monde invisible s'affina. Elle pénétra dans le monde des dieux. Shiva se mit à danser pour elle, accompagné de Sarasvati à la vina, d'Indra à la flûte, de Vishnou au mrdangam, de Brahma aux cymbales et de Lakshmi pour le chant. Il dansa pour la petite fille d'Aunrai, entouré de tous les deva et des êtres célestes. Amiya assista avec émerveillement à ce spectacle sacré. Shiva envoyait des vagues sonores à travers la nature morte de la matière, la réveillant. La nature apparut alors dans toute sa gloire aux yeux de la petite fille, qui entendit la voix du dieu :

Tu rencontreras l'Étincelante et elle t'apprendra à danser pour moi.

Le soleil la réveilla. L'astre était haut dans le ciel. Amiya s'était endormie au bord de la rivière, non loin de l'endroit où elle avait rencontré le sadhu. Elle avait l'esprit apaisé. La campagne bruissait de mille sons familiers et rassurants. Dans les champs proches, les femmes chantaient en cueillant des légumes et en sarclant des herbes, les hommes fauchaient les blondes parcelles de blé et d'orge, les enfants pataugeaient dans la rivière en riant. Cependant, la sérénité d'Amiya s'effilocha peu à peu. Elle s'était enfuie de la maison. On devait la chercher.

Menant les recherches, il y avait l'Huître. Dès son réveil, elle s'était aperçue de la disparition d'Amiya. Elle avait secoué tout son monde, rappelé que le fiancé accompagné de ses parents et témoins arriverait vers midi. On courait à la honte, à l'opprobre, on allait être la risée du village. L'Huître avait dépêché ses belles-sœurs et ses beaux-frères aux quatre coins du village pour retrouver la fuyarde. Ils étaient tous revenus penauds. Amiya avait bel et bien disparu. Une rage folle s'était emparée de l'Huître, qui ne trouvait pas assez de qualificatifs pour accabler la rebelle.

– Ta maudite sœur va nous porter malheur ! Puru ne voudra plus d'elle et nous passerons pour des gens sans parole... Voilà ce qu'il en coûte quand on n'exerce pas son autorité de chef de famille ! Je regrette parfois de t'avoir épousé ! Retrouve-la et punis-la en public !

Sur ces mots, l'Huître, munie de sa baguette, s'était lancée sur la route. Payod accusait le coup. Cette fois, il était décidé à faire un exemple avec Amiya, mais il ne savait comment s'y prendre. La mise en garde du sadhu résonnait toujours à ses oreilles ; et il ne désirait pas s'attirer la colère de Kali la Noire. Le sang d'Amiya ne devait pas couler.

Comment la faire revenir à la raison sans user d'une punition corporelle ? Le mariage était compromis. Il avait été prévu d'unir les promis d'ici huit jours, selon la tradition de l'Arsha par laquelle Payod devrait recevoir un don en nature en échange de la fillette, en l'occurrence un mouton et dix sacs de riz. Il n'était pas question de renoncer, non seulement pour des raisons d'honneur, mais aussi parce qu'Amiya avait coûté cher en offrandes et en argent aux brahmanes, les prêtres deux fois nés.

– Toi, tu prends la route de Bénarès, et vous, celle d'Allahabad, commanda l'Huître aux frères de Payod.

Elle organisa une véritable battue, n'hésitant pas à interroger les passants. Auparavant, elle s'était rendue chez Hila et Mili, les amies d'Amiya, pour vérifier si la fugueuse ne s'y trouvait pas, mais ni l'une ni l'autre ne l'avaient aperçue depuis la veille au puits. On avait ensuite fouillé les temples.

Pas d'Amiya.

Que faire ? Où aller ?

Elle n'avait pas le choix ; elle devait se rendre dans une ville. Cette idée la terrorisait ; elle ne connaissait rien du monde. La route de Bénarès l'attirait, l'aspirait ; elle s'étirait droite vers l'est, couverte de chariots, d'animaux de bât, de troupeaux, de paysans et de voyageurs venus des contrées les plus reculées. La route de Bénarès était d'abord celle des pèlerins et des caravaniers. C'était par là qu'était parti le démon blanc. Une fois de plus, elle pensa au Français. La peine modela son visage, puis elle se força à chasser son souvenir. Son regard se fixa sur la massive silhouette du banian bordant l'horizon. Elle n'était jamais allée au-delà du grand arbre consacré à Vishnou. Résolue à ne plus retourner à Aunrai, elle prit la route de Bénarès.

Elle atteignit le banian, sous lequel des dizaines de personnes se reposaient à l'abri de l'ardeur du soleil. Sa venue les laissa indifférentes. Quelques-unes priaient Vishnou le créateur, qui flottait sur les eaux primordiales en se reposant sur le serpent à mille têtes Amanta. Il se réincarnait rarement pour aider les hommes, sauf quand ces derniers étaient sous la menace de Shiva le destructeur. Deux femmes allaitaient des nouveau-nés ; un vieillard allongé sur un brancard de fortune bégayait d'incompréhensibles paroles. Des mouches le harcelaient, mais ses proches, apathiques, assis sur les grosses racines, ne faisaient rien pour les chasser.

Amiya n'avait pas l'intention de s'arrêter. Elle ne put pas cependant quitter l'ombre du grand arbre. Surgissant tel un démon de derrière le tronc, l'Huître, munie d'un couteau à la lame triangulaire, lui coupa le chemin.

– Tu vas retourner à la maison !

– Non !

– Quoi ?

– Plutôt mourir !

– Les dieux m'en sont témoins ! J'aurai tout tenté, gronda l'Huître en apostrophant les voyageurs, qui s'écartaient d'elle.

– Je n'épouserai jamais Puru ! dit Amiya. Je suis « celle que les dieux ont choisie ». Ils m'attendent à Bénarès.

– Pauvre idiote ! éructa l'Huître, le visage cramoisi.

Elle était hors d'elle, incapable de se contrôler. Ses gestes étaient ceux d'une hystérique. Elle se fendit, balayant l'air de son couteau. La lame entama légèrement Amiya à l'épaule, déchirant son sari.

– Malheureuse ! Arrête ! cria Payod qui arrivait en courant. Tu l'as blessée !

L'Huître ne se contentait pas d'une blessure ; elle continuait à attaquer.

– Arrête ! Arrête ! lancèrent d'autres voix.

Ses beaux-frères convergeaient vers elle. L'Huître était sourde à leurs appels. Son sang grondait, l'aveuglait, l'incitant à tuer Amiya.

Elle se mouvait comme un fauve entre les racines, déterminée à porter le coup fatal. Amiya sautait à droite, à gauche, se couchait, se relevait. Elle bondit par-dessus le vieillard sur son brancard ; l'Huître n'avait pas l'agilité et la souplesse de la petite fille. Elle buta contre le vieillard agonisant, tomba en avant et se planta le couteau dans la cuisse droite.

En voyant son épouse blessée, Payod ne chercha pas à arrêter sa sœur qui repartait en courant vers le village. Il se précipita vers l'Huître, imité par ses frères. Le mariage d'Amiya n'était plus d'actualité. L'Huître avait versé le sang d'Amiya. Kali la Noire était désormais en marche. Aucun d'eux ne doutait des paroles du sadhu de la rivière.

10

Bâtie avec les matériaux les plus nobles sur trois étages, dominant la rivière, la demeure de Solenki avait des allures de palais. Une trentaine de pièces somptueusement meublées la composaient. Toutes donnaient sur des jardins plantés d'essences rares, agrémentés de fontaines chantant pour le plaisir des dieux et des déesses statufiés et fleuris toute l'année.

Hiral arriva sur le chariot d'apparat aux deux roues dorées, tiré par des buffles aux cornes recouvertes d'or et ceintes de fleurs. Les bêtes avançaient majestueusement ; des anneaux d'argent tintaient à leurs pattes. On se prosternait sur le passage de l'Étincelante car on la savait aimée de Shiva et des grandes divinités de l'Inde. Personne à

Tanjore ne doutait de son intimité avec les dieux. Les prêtres qu'elle avait rendus riches par sa maîtrise du Kama-sutra ne tarissaient pas d'éloges à son égard. Ils l'attendaient sur le seuil de la demeure, vêtus de leurs vêtements blancs comme la neige. Le maître des lieux, Solenki, se tenait au milieu.

– Sois la bienvenue, divine Hiral, dit-il en s'inclinant alors que ses servantes l'aidaient à descendre du chariot.

Hiral s'inclina à son tour, sans prononcer un mot. Elle sentit son désir. Mais il ne pouvait pas l'exprimer ouvertement. Il y avait des codes à respecter. Hiral l'Étincelante n'était pas une prostituée sacrée ordinaire. Des rajas se l'étaient disputée. Sa fortune dépassait celle de tous les nobles et marchands de la ville. De plus, elle partageait sa vie avec l'homme le plus riche de la province : Michel Casenove, l'aventurier français que tous les hommes jalousaient. Les hindous considéraient cette relation comme impure, mais pas un n'aurait osé lui en faire ouvertement le reproche.

Pour se prémunir des mauvaises influences et des impuretés, Hiral demanda la permission de se recueillir dans la chapelle de la maison. Le lieu de culte familial des Solenki était digne d'un temple. Une cinquantaine de statues et de statuettes représentant les dieux principaux se partageaient un vaste espace. Les divinités souriaient, grimaçaient, méditaient, attendant d'être sollicitées par ces humains qu'elles favorisaient ou punissaient. Innombrables, les fleurs mêlaient leurs parfums aux senteurs des huiles aromatiques et des encens. Hiral s'approcha respectueusement de Shiva, dont elle était toujours la servante. Ce n'était pas le Shiva de la danse mais celui de la connaissance parfaite et du pouvoir absolu. Sa statue comportait dix bras et le troisième œil s'ouvrait sur son front. Après avoir uni son âme à la sienne par une fervente prière, elle entra dans sa lumière.

Les serviteurs passaient comme des ombres au milieu des convives assis sur des sièges précieux selon un ordre hiérarchique très précis. D'autres, attitrés à leurs maîtres, se tenaient immobiles avec la tasse, la serviette et la cruche en or. Les bruits des conversations se mêlaient à la lancinante mélodie d'une cithare pincée par un musicien aveugle. Solenki avait dépensé sans compter. Le musicien était célèbre ; il l'avait fait venir de Madras.

Soudain, le silence se fit. Les invités retinrent leur souffle. L'Étincelante faisait son entrée solennelle, escortée par deux devadasis célèbres et une douzaine d'autres danseuses, âgées de seize à trente ans. Les clochettes tintaient à leurs anneaux de chevilles, les bijoux et les colliers étincelaient sur leurs poitrines et à leurs cous, mais elles n'étaient les objets d'aucune attention particulière. Les regards se concentraient sur Hiral. Elle avait un port de reine, une aura de déesse. Sa longue natte perlée battait sur sa cuisse droite ; un énorme diamant serti dans le bandeau d'or ceignant son front scintillait de mille feux. C'était une pierre fabuleuse trouvée dans les mines de Golgonde, qui lui avait été offerte par une rani.

Elle décocha un fin sourire au maître de maison, essuyant au passage les regards haineux et jaloux de ses épouses. Hiral se rendit dans la partie réservée aux danseuses. La grande pièce de réception avait été divisée en rectangles tracés à la craie dans lesquels des sièges bas et des coussins avaient été placés. Ces rectangles étaient destinés à réunir les personnes de même caste. Les danseuses n'appartenaient à aucune caste et pouvaient se lier avec qui elles le souhaitaient, à condition d'avoir atteint une certaine renommée. Hiral s'assit en tailleur sur un coussin de soie blanc et violet. Devant elle était dessinée une table, elle aussi tracée à la craie, divisée comme un échiquier. Les cases contenaient les plats déposés par les serviteurs. Sur les lignes externes de ces tables improvisées, des bâtons aromatiques se consumaient. Il n'y avait pas d'assiettes, pas davantage de soucoupes ou récipients de porcelaine, mais des feuilles de *butea frondosa* aux bords relevés, parfois épinglées ensemble avec des épines. Les mets délicieux qui s'y trouvaient faisaient saliver les convives. Hiral compta soixante-quatre variétés de plats ; un repas fastueux atteignait généralement le chiffre de quarante-huit, essentiellement végétariens.

Le maître de maison donna le signal en portant à sa bouche un chutney de fruits et de légumes confits dans du vinaigre. Toutes les mains se posèrent en même temps sur les feuilles. Le riz blanc fut mélangé aux sauces de kari, de karma aux graines de pavot... On versa le lait dans les gobelets d'or. Les pains puri et bali croquaient sous la dent, les naans additionnés de beurre clarifié fondaient sur la langue.

Hiral goûta à peine cette cuisine de roi. Comme tous les invités, elle prenait garde à ne pas toucher les mets de la main gauche. Ne fût-ce que les effleurer aurait provoqué l'apparition de démons Rakshasa. Elle restait concentrée sur la danse à venir et ne souhaitait pas se remplir le ventre.

Une grande estrade avait été aménagée dans le fond de la pièce, face aux hautes fenêtres donnant sur le jardin. Elle était éclairée par des bougies rouges et vertes plantées dans des gueules de cobra à sept têtes s'enroulant sur des colonnes. Hiral répéta mentalement sa chorégraphie en contemplant cet espace. Elle ne toucha pas aux pâtisseries qu'apportaient les serviteurs. La dernière de ces douceurs faites de riz mêlé de sucre, de pois pulvérisés, d'huile d'olive, d'ail et de grains de grenade fut consommée à la hâte par les convives. C'était le moment le plus délicat du repas. Chacun regardait son voisin dans la crainte d'être le dernier à manger. Être le dernier à déglutir était mauvais signe. On évita le pire. Avec une incroyable précision, tout le monde goba en même temps la friandise.

Hiral prit un peu d'eau dans sa bouche, murmura une prière et l'avala. Tous suivirent ce rituel en prenant garde à ne pas s'étouffer. La moindre toux était un signe néfaste prouvant qu'un bhutâ prenait possession de votre gorge. Le seul moyen d'échapper à un esprit malin entrant dans votre corps était de courir aussitôt dans la chapelle se purifier.

Hiral sentait les bhutâs rôder. Ces mauvais esprits appartenaient aux personnes décédées pendant qu'elles étaient en proie à des passions et des désirs qui resteraient du coup insatisfaits ; ils cherchaient encore à les satisfaire en prenant possession de quelqu'un. Les bhutâs étaient nombreux dans cette demeure ; ils ne s'uniraient jamais à Brahma pour une vie éternelle dans le ciel.

Le repas se termina sans incident. L'heure du spectacle était arrivée. Les musiciens s'installèrent au fond de la salle. Les vinas, gottuvadyam et tambura, luths de différentes grandeurs, furent accordés, tandis que le joueur de tambours réglait les cercles de son mrdangam en forme de tonneau. D'autres tambours, des pots en terre cuite, des cymbales, des gongs, des cloches, des castagnettes et des vases remplis d'eau complétèrent le dispositif musical. La flûte de bambou, le roseau, la conque et le petit harmonium mêlèrent leurs sons à la cacophonie, puis, comme par miracle, une harmonie naquit et le public soupira d'aise.

Les devadasis se placèrent sur quatre lignes et écoutèrent les premières mesures envoûtantes puisées dans l'enseignement du Sama-veda, le livre des mélodies. Elles se concentrèrent afin d'adapter leur art qui consistait à communiquer leurs états d'âme par les mains. Elles appelleraient bientôt les dieux selon les règles de l'Atharva-veda et parviendraient à se fondre dans la création.

Elles évoluaient comme des fleurs entre les flammes des bougies rouges et vertes. Les hommes avaient le regard fixe, la bouche sèche. Ils essayaient de deviner les chairs sous les vêtements soyeux des danseuses. Dans quelques heures, ils se disputeraient ces ardentes bayadères et il y en avait pour tous les goûts, des petites au corps gracile, des femmes souples aux membres déliés, des belles épanouies ayant l'expérience du Kama-sutra, mais ils devaient attendre et calmer leurs ardeurs car on n'en était qu'à la première des danses traditionnelles de l'Arangetram.

11

Pendant le déroulement des premières danses, Hiral s'était absentée afin de parfaire sa beauté symbolique. Face à un miroir, une servante l'aidait à ajuster le lourd rakodi à l'arrière de sa tête. L'élue des danseuses sacrées sentit monter en elle un pouvoir immense. Le rakodi permettait de séparer le mal du bien et de l'anéantir par la gestuelle. Ce rakodi-ci était unique ; il n'y en avait pas un qui l'égalait dans toute l'Inde. Il valait une fortune. Cent huit gros cabochons de rubis incrustés dans une calotte d'or dessinaient des cercles concentriques autour d'un cygne, oiseau de la pureté.

– Il est parfaitement centré, dit la servante en admirant l'Étincelante.

Hiral opina de la tête. Elle se contempla

pendant un long moment, comme pour imprimer en elle l'image de la devadasi qu'elle ne serait plus jamais.

– J'ai bien servi les dieux, dit-elle tout bas en s'éloignant à reculons du miroir.

Elle entendit au loin le coup de gong qui l'appelait. Son public d'adorateurs l'attendait.

Elle apparut telle une déesse dans la salle surchauffée.

Et elle se mit à danser.

Une heure magique s'écoula. Hiral enchaînait des mouvements d'une pureté inouïe sans rompre le rythme imposé par la musique et les tambours, mouvements qui n'avaient aucune signification spirituelle. C'était un début, une préparation des trois parties du corps, mais les spectateurs ne le voyaient pas ainsi. Elle leur donnait le meilleur d'elle-même : l'œil le plus averti ne décelait pas d'imperfection dans l'enchaînement des mouvements de l'Anga consistant à bouger la tête, les mains, la poitrine et la taille, du Pratyanca animant les épaules, les bras, l'estomac, les cuisses et les genoux, et de l'Upanga par lequel s'exprimaient les yeux, les sourcils, les cils, les joues, le nez, les gencives, la lèvre inférieure et la langue.

Quand son emprise sur les êtres pendus à son souffle fut totale, elle s'empara définitivement de leurs sens. Vint l'instant où la musique changea, où le dieu descendit sur terre.

Les hommes et les femmes le perçurent dans toute sa puissance et sa grandeur, alors que Hiral dévoilait enfin ses sentiments et ses émotions. Jamais, on ne l'avait vue danser ainsi ; elle dansait comme si la fin du monde était annoncée ; elle donnait son cœur et son âme à Shiva, à tous les dieux, à l'humanité. Elle se fondit dans l'air, la terre, le feu et l'eau.

Son amour grandissait, s'étendait. Il était sans limite. Son amour se répandit à la vitesse de la lumière...

Michel était passé par des moments difficiles après avoir quitté Bénarès. Il s'était hâté de livrer ses marchandises, craignant à tout instant de les perdre car la population se livrait à des pillages, saccageant les entrepôts des compagnies occidentales et brûlant les propriétés des marchands qui importaient des produits d'Europe.

Partout où il passait, la révolte grondait ; les gourous manipulaient les foules rassemblées dans les temples. Le pays sombrait dans la misère. « C'est la faute des Anglais ! » répétaient-ils en prenant à témoins les astrologues, leurs complices, qui confirmaient à la lecture des horoscopes que les malheurs de l'Inde étaient bien dus à la présence des étrangers.

Il n'y avait qu'une seule chose à faire : regagner au plus vite le centre, puis le sud de l'Inde, où les esprits ne s'échauffaient pas aussi vite. Une fois de plus, il commanda à ses hommes une marche de nuit.

Il avançait aux côtés de Dhama en observant le ciel étoilé quand l'onde le toucha. Le bonheur éclaira son visage.

Hiral...

L'amour de Hiral. L'amour sans limite.

Elle était dans son esprit, elle dansait, et il tendit une main devant lui, comme pour la saisir.

« Je ne te quitterai plus jamais ! » lui promit-il en projetant lui-même tout son amour par la pensée.

12

Sajils, l'Ornée, princesse d'Hyderabad, écoutait la grande trompette de cuivre mugir dans le temple. Le kambu appelait Vishnou à veiller sur le monde. Un sourire béat passa sur le visage délicat de la jeune femme, puis il s'affina, s'accorda à son intelligence... Sajils se prit à réfléchir. Cette trompette sacrée ne jouait pas pour le protecteur de la création, dont la statue colossale à quatre bras luisait à la lumière des lampes à huile, ni pour les prêtres recueillis qui le servaient, ni pour les fidèles priant dévotement dans les allées obscures. Non, Sajils, avec l'égoïsme qui la caractérisait, donnait un autre sens à ce son prolongé qui vous prenait aux tripes. La trompette saluait la venue prochaine de l'aventurier français Michel Casenove. Michel avait envoyé un messager à son père, le raja Kirat, annonçant qu'il venait de franchir la frontière nord de l'État d'Hyderabad.

Michel... Michel... Elle s'avança vers Vishnou, suivie par sa servante, la Corde. Les prêtres s'inclinèrent et s'écartèrent. Sajils, malgré sa jeunesse, inspirait crainte et respect. Elle déposa une fleur de lotus sculptée dans de l'argent sur l'autel du dieu et l'exhorta à veiller sur la vie du Français, dont elle était secrètement amoureuse depuis des années.

Elle avait beaucoup pleuré lorsque, à l'âge de douze ans, son père, le puissant Kirat, l'avait mariée à un noble guerrier de la maison royale ; elle avait déjà Michel dans le cœur. L'union avait duré un an. Son époux avait été emporté par une pneumonie, mais ce laps de temps avait suffi à donner un héritier à la lignée des rajas d'Hyderabad. Elle avait mis au monde un garçon et avait acquis ainsi un statut comparable à celui d'une reine.

Sajils était veuve, mère d'un prince aujourd'hui âgé de sept ans ; elle n'avait ni frère ni sœur, et sa mère était morte bien des années auparavant, quand le choléra et la peste avaient ravagé le pays. Aussi incroyable que cela pût paraître, malgré quatre autres épouses et de nombreuses concubines, malgré la science de ses médecins et la magie de ses sorciers, malgré les offrandes aux dieux, le raja n'avait pas eu d'autres enfants.

Sajils demeurait l'unique. Kirat misait tout désormais sur son petit-fils, dont l'avenir demeurait fragile car l'État de l'Andhra Pradesh était dominé par la faction musulmane et officiellement dirigé par un sultan.

Dans ce contexte, Sajils avait acquis une importance considérable au sein du palais, influençant un peu plus chaque jour la politique de son père. Ce dernier, usé par la drogue, en avait fait officieusement son premier conseiller. Les ministres la courtisaient, les brahmanes tentaient de se l'accaparer ; et elle se servait au mieux d'eux en les dressant les uns contre les autres. Il lui était venu l'idée de marcher sur les traces de la rani régente Jundan, maîtresse du Pendjab et ennemie implacable de l'Angleterre, mais le chemin qui lui restait à parcourir pour égaler la puissance de Jundan était immense. Pour y parvenir, il lui fallait un chef de guerre, un homme exceptionnel aimé des dieux.

Il existait. Ses pensées s'envolèrent vers Michel. Elle confia sa vie à Vishnou et son double s'en alla à la recherche de celui qu'elle aimait.

Michel avait donné des consignes aux hommes qu'il n'avait pas encore libérés de leurs obligations de caravaniers. Chaque année, en redescendant dans le sud de l'Inde, il se séparait d'eux au fur et à mesure qu'il revendait ses précieuses marchandises. Il les payait royalement, sachant qu'il les retrouverait tous aux portes de Tanjore, lorsque serait revenu le moment de repartir à l'aventure.

Ils n'étaient plus que huit pour protéger les biens répartis sur une trentaine de chameaux et autant de mules. Deux solides bœufs tiraient un chariot contenant trois coffres remplis d'or. Huit... C'était peu. On se rapprochait d'Hyderabad, la ville-labyrinthe était en vue, ocre et jaune sous le ciel d'acier bleui.

– Avant-dernière étape ! s'exclama Michel à l'intention de Dhama.

– Je me languis d'arriver à Tanjore, répondit le moine.

Dhama n'aimait pas séjourner à Hyderabad. Il ne s'y sentait pas à l'aise. Les bouddhistes n'y avaient pas droit de cité et une tension permanente régnait entre les hindouistes et les musulmans. Il y avait aussi la princesse Sajils ; il la ressentait comme une menace et la comparait à la princesse de l'enfer, la divinité tantrique Patala Kumara.

– Moi aussi, répondit Michel.

– Alors, fais ton possible pour que nous repartions au plus tôt.

– Le raja Kirat voudra nous garder quelques jours auprès de lui, je le crains.

– Eh bien, refuse ! Trouve un prétexte.

– Qu'as-tu, Dhama ? Qu'as-tu vu en songe ?

– Je n'ai pas fait de rêve prémonitoire... Je sens peser une menace sur nous, ou plus précisément sur toi. Méfie-toi de la princesse Sajils.

– Sajils ? ! Mais tu m'as déjà mis en garde contre elle l'an dernier, lors de notre visite à Kirat...

– C'est vrai, mais méfie-toi tout de même... plus que jamais, insista le moine.

Michel opina du chef. Il se méfierait ; Dhama se trompait rarement.

– Notre escorte arrive, dit Dhama.

Puis ses yeux s'étrécirent. Le mirage qu'il avait aperçu bien avant de voir la ville se précisa. Une barrière tremblante et grisâtre dominait la plaine. Inexpugnable. Michel suivit le regard de son ami et ne put s'empêcher de souffler :

– Golconde.

– Golconde, répéta un homme, plus fort.

Ce nom les faisait tous rêver. La forteresse de Golconde dressée sur un pic vertigineux pointait ses deux cents canons vers la ville étalée à ses pieds. De fabuleux trésors y étaient enfermés. Depuis des siècles, on y acheminait les diamants des mines du Pradesh. Des centaines de tonnes de pierres précieuses venant de Golconde avaient alimenté toutes les cours d'Asie et d'Europe avant les découvertes des mines du Nouveau Monde.

Mais les rêves des hommes, s'ils étaient remplis de gemmes, les menaient aussi jusque dans les harems des nouveaux palais d'Hyderabad bordant les rives verdoyantes de la Musi. Vingt mille courtisanes vivaient dans la cité-labyrinthe. On pouvait voir les plus remarquables de ces femmes se rendre en cortège chez le sultan tous les vendredis.

La poussière soulevée par les cavaliers envoyés par le raja masqua Golconde, mettant fin à leurs rêves. Les soldats étaient conduits par un commandant au turban de soie blanche empanaché de deux plumes de paon. L'officier salua gravement Michel et joignit sa troupe à la caravane.

La route, qui suivait la méandreuse Musi aux eaux rouges, se chargea peu à peu d'une population bruyante et colorée. D'autres caravanes l'empruntaient. Ils entrèrent dans la ville grouillante où, dans l'étrécissement des ruelles et des venelles, se côtoyaient les vaches sacrées, les brahmanes en blanc et les orthodoxes défenseurs du Prophète vêtus de toges noires.

Des regards de convoitise glissèrent sur la caravane de Michel, mais personne n'osa s'aventurer près des chameaux et du chariot. Le faire, c'eût été risquer d'y perdre une main ou sa tête. Les lois du raja et du sultan étaient cruelles et expéditives.

Le visage de Dhama s'assombrit. Devant eux se dressaient les murs du palais de Kirat.

Le raja Kirat n'était pas en état de recevoir ses invités. Il avait abusé d'une drogue birmane. Après avoir mis ses coffres en sûreté dans l'une des salles du trésor royal, Michel avait été immédiatement conduit dans la suite princière réservée aux hôtes de marque. Les portes incrustées de perles et cloisonnées d'argent, les sculptures de marbre, les objets de porcelaine, les œuvres d'art le laissaient indifférent ; il avait mieux à Tanjore. Pour l'heure, il était mort de fatigue ; il se jeta en travers du lit, sans se soucier des serviteurs qui apportaient des brassées de fleurs, des rafraîchissements, des pains et des pâtisseries ainsi qu'une garde-robe offerte gracieusement par le raja. D'autres se mirent à remplir d'eau parfumée le bassin de marbre bleu dans une pièce ronde adjacente à sa chambre. L'un d'eux vint lui dire qu'on préparait son bain. Il songea à Dhama en souriant. Le moine le rejoindrait bientôt. Il devait fureter dans le palais à la recherche d'une menace qui n'existait pas. On avait prévu de loger le moine dans une dépendance, mais il était fort probable que Dhama refuserait d'y dormir et viendrait monter la garde près de son ami.

« Au diable les menaces et les complots », se dit Michel en s'étalant les bras en croix sur le lit moelleux placé face aux hautes fenêtres donnant sur une forêt de manguiers.

La vie était belle et elle le serait plus encore dans quelques jours, quand il retrouverait Hiral.

Il pensait toujours à elle ; elle ne quittait pas son esprit. Il se prélassait à présent dans l'eau tiède du bassin. Les pétales de fleurs déversés par les serviteurs embaumaient ; ils flottaient en une myriade de couleurs dans les flaques du soleil parti pour la conquête du ciel. Michel s'abandonna à la douceur du moment ; il sentait s'effacer les stigmates du long et difficile voyage qui l'avait mené des confins arides de la Perse jusqu'à ce paradis. Les épreuves étaient passées. Il ferma les yeux et se laissa bercer par les complaintes en ourdou des musulmans et les chants d'amour en hindi qui montaient des rives de la Musi et des rues d'Hyderabad.

Plus de pillards, plus de voleurs, plus de fanatiques, ni menace, ni complot...

13

La nuit était venue. Elle s'écoulait lentement, pleine de revenants qui s'alliaient aux démons pour des danses macabres. Elle était pleine de dangers et Amiya tremblait de peur. Elle ne dormait presque pas depuis qu'elle s'était réfugiée dans les ruines de l'antique forteresse sise au nord du village d'Aunrai, où les mauvais esprits se rassemblaient. On disait qu'un ancien dieu guerrier du nom d'Alexandre le Grand avait vécu ici. Sur les conseils de son amie Hila, qui lui apportait régulièrement de quoi manger et boire, elle s'était cachée dans une tour qui avait résisté aux dégradations des hommes et du temps. Personne ne s'aventurait dans ce repaire ensorcelé, mais Amiya avait la certitude que cela n'arrêterait pas l'Huître.

Hila lui avait rapporté que sa belle-sœur avait promis une roupie d'argent à celui qui la retrouverait.

« L'Huître te rend responsable de sa blessure à la cuisse, qui la fait boiter et l'empêche de se rendre au marché ou au puits. »

L'Huître blessée... Blessée dans sa chair et dans son amour-propre. Elle était maintenant bien plus dangereuse que les fantômes de la forteresse. Amiya sentit la présence des âmes errantes ; elles s'agitaient toujours avant le lever du soleil. Elle jugula sa peur en priant Vishnou.

Hila avait pris la précaution de faire un grand détour avant de se rendre à la forteresse à travers champs. Elle devait cependant se dépêcher car elle avait laissé son bébé à la garde de Mili. Elle grimpa sur l'éboulis qui menait à la tour où se trouvait Amiya. Les pierres s'effritèrent sous ses pas et un caillou roula. Inquiète, elle s'immobilisa, puis se retourna vers la femme qui l'accompagnait.

– C'est là, fit-elle en désignant la tour.

– Elle se cache ici ? ! Dans la forteresse des Grecs ? Et tu as le courage de lui apporter à manger ? ! Vous êtes bien plus fortes que les hommes d'Aunrai.

Hila ne le prit pas pour un compliment. Qu'elle soit forte ou pas, son époux la battrait s'il apprenait qu'elle se rendait ici.

– Amiya ! Amiya ! appela-t-elle.

Amiya apparut dans la déchiqueture d'une porte disparue et se figea de stupeur. Hila était accompagnée de Trois-Yeux.

– Non ! balbutia-t-elle.

– N'aie pas peur, dit Trois-Yeux.

Amiya recula face à cette apparition de cauchemar qui se découpait dans l'œil rougeoyant du soleil levant. Avec sa longue chevelure blanche la recouvrant presque entièrement, ses traits ravinés de rides, son long bâton noueux de sorcière à la main droite et un tibia de conjuration dans la gauche, Trois-Yeux avait l'air d'être l'âme réincarnée de la forteresse hantée.

– Elle est venue pour te sauver, dit Hila en s'approchant de son amie.

Amiya évita le contact.

– Tu m'as trahie !

– Ce n'est pas vrai ! Je te le jure sur l'œil de Krishna ; que la flèche de son arc me transperce le cœur si je t'ai trahie ! J'ai peur, Amiya. J'ai peur... L'Huître est venue chez nous. Mon père et mon époux m'ont interrogée devant elle et j'ai menti. S'ils savaient que je viens dans cet endroit qui porte malheur pour t'aider, ils me battraient et me jetteraient à la rue. Je ne veux pas être une paria. Mets-toi sous la protection de Trois-Yeux. Tout le monde la craint. Même l'Huître. Trois-Yeux a toujours voulu te prendre à son service ; je crois qu'elle a de l'affection pour toi.

La sorcière, de l'affection ? Amiya leva les yeux vers la femme aux cheveux blancs et chercha en vain une trace de sentiment sur son visage. Elle se demanda une fois de plus ce que lui voulait réellement Trois-Yeux. La sorcière agita le tibia qu'elle brandissait et parut satisfaite. Les esprits avaient fui dans les entrailles de la terre. Le soleil ne se teintait plus de sang. Des oiseaux lançaient de joyeux trilles et, sur le moutonnement brumeux de la plaine, des femmes se rendaient aux champs en chantant. Ces signes apaisants convainquirent Amiya.

– Je te suis, dit-elle à Trois-Yeux.

La sorcière acquiesça et d'un pas ferme et assuré, tâtant les pierres de son bâton, ouvrit le chemin à sa protégée. Désormais, plus personne ne se mettrait en travers de la route de la petite fille.

Amiya avait choisi son destin.

Ce fut d'abord un bourdonnement lointain de ruche, puis cette rumeur d'insectes couvrit les croassements des corbeaux en chasse, le chant de la rivière que Trois-Yeux et Amiya suivaient s'enfla. Jamais les bruits du village ne lui avaient paru aussi forts et inquiétants ; Amiya se contracta et pensa à la pauvre Hila, qui avait pris tant de risques pour la sauver.

Hila, pour ne pas éveiller les soupçons des habitants d'Aunrai, avait emprunté un autre chemin. Elle devait être à présent avec Mili. Elle imagina ses deux amies, leurs bébés entre les bras, se rendant chez leurs époux, soumises...

« Les dieux sont injustes ! » pensa-t-elle.

Le cœur serré, Amiya pénétra dans le village, où elle se sentait désormais si mal. Trois-Yeux lui fit prendre la rue d'Islamabad. C'était l'artère la plus fréquentée d'Aunrai ; on y trouvait des magasins d'épices, des tailleurs, des tanneurs, des verriers...

Amiya jeta un œil inquiet sur la sorcière.

– Marche la tête haute, dit Trois-Yeux. Il ne t'arrivera rien.

Sur ces mots, elle agita le tibia de conjuration. Ce qui eut pour effet de détourner l'attention des curieux.

Les paroles de la vieille femme la rassurèrent. Pour la première fois, redressant la tête et affirmant sa personnalité, Amiya se sentit réellement différente des gens qu'elle avait côtoyés depuis sa naissance. Elle les découvrait, engoncés dans leurs principes, prisonniers de leurs castes. Ils étaient lâches, l'épiaient quand ils étaient sûrs d'échapper à la vigilance de la sorcière. Des mots méprisants se formaient sur leurs lèvres. Des enfants se mirent à les suivre, en se dissimulant plus ou moins.

La nouvelle du retour d'Amiya se propagea très vite dans tout le village, jusqu'au sein des temples, jusqu'à l'atelier de Payod.

L'adolescent entra dans l'atelier de poterie. Il avait couru et, tout essoufflé, le rouge aux joues, il se planta devant Payod, occupé à tourner un grand vase.

– Que veux-tu ? demanda Payod sans lever la tête.

– Donne-moi la roupie promise par ton épouse.

Payod arrêta de pousser le tour avec le plat de son pied et darda son regard dans celui du garçon.

– Ta sœur Amiya est revenue, lâcha ce dernier.

Les mains de Payod s'enfoncèrent brutalement dans l'argile, brisant la perfection de la courbe du vase.

– Où est-elle ?

– Dans la rue d'Islamabad... avec Trois-Yeux, ajouta le garçon avec une certaine appréhension.

Payod ne fut pas le seul à blêmir en entendant cette incroyable révélation. Ses frères, les compagnons, les apprentis partagèrent son effarement. Tous cessèrent de travailler.

– Trois-Yeux, répéta Payod.

Sa petite sœur avec la sorcière. Comment allait-il annoncer cela à sa femme ? Il n'eut pas à le faire. L'Huître, accompagnée de ses belles-sœurs, déboula dans l'atelier, claudicante, furieuse, échevelée.

– Tu connais la nouvelle ? cria-t-elle d'une voix stridente.

– Oui... Ce garçon vient de me l'apprendre.

L'Huître lança un regard meurtrier à l'adolescent qui eut l'impudence de lui rappeler qu'elle avait offert une prime pour celui qui retrouverait Amiya.

– Tu as promis une roupie d'argent...

– Fiche le camp d'ici, ver de terre ! aboya-t-elle.

– Mais...

– Tu n'as pas retrouvé cette peste ! Elle est venue d'elle-même nous narguer en s'affichant avec cette sale magicienne de Trois-Yeux ! Va-t'en !

L'Huître était effrayante à voir. L'adolescent n'insista pas. Il détala. Quand il fut à bonne distance de la maison des Madhav, il se retourna et hurla :

– Tu n'as pas de parole, l'Huître, et personne ne te pleurera quand Kali la Noire viendra prendre ta vie !

L'Huître en resta anéantie. Ce maudit ver de terre venait de lui rappeler la prédiction du sadhu de la rivière. Sa douleur à la cuisse s'amplifia et elle dut se retenir à l'épaule de Payod pour ne pas tomber. Payod profita de cette faiblesse pour prendre l'initiative :

– Ne te fais pas de mal pour rien. Tout va s'arranger. Trois-Yeux va nous la ramener et nous nous rendrons dès ce soir chez le fiancé de ma sœur avec de l'argent.

– Crois-tu vraiment qu'elle va nous la ramener ? s'inquiéta-t-elle.

– Oui. Trois-Yeux est une femme de bon sens. Pourquoi se ferait-elle des ennemis en nous enlevant Amiya ? Nous l'avons toujours grassement payée pour ses soins et sa magie, et je suis prêt à lui verser cent roupies si elle consent à nous rendre la fugueuse et parvient à guérir ta jambe.

L'Huître n'en croyait pas ses oreilles. Payod l'aimait-il à ce point ? Il le prouva aussitôt en allant chercher le coffre qui contenait les économies de la famille. L'ayant ouvert, il en retira deux bourses de cuir et se mit à compter cent roupies.

Mais Trois-Yeux ne se montra pas, avec ou sans la petite fille. On leur rapporta qu'elles avaient quitté le village. Payod n'avait plus le choix.

– C'est dit, je me rends chez Trois-Yeux, déclara-t-il en empochant la somme.

– Je viens avec toi.

– Non, ta présence pourrait effrayer ma sœur et je ne veux pas qu'elle s'échappe à nouveau.

Avant de quitter l'atelier, Payod prit une corde. Il comptait attacher Amiya.

14

La maison de Trois-Yeux se dressait à une demi-heure de marche d'Aunrai, au bout d'un chemin qui filait droit vers le nord. De mémoire d'homme, on n'aurait su dire quand elle avait été construite, ses soubassements taillés en grosses pierres rectangulaires étaient aussi vieux que les ruines de la forteresse hantée. Elle s'adossait à un amoncellement de rochers ronds qui formaient une colline dépourvue de végétation. Elle épousait les contours et les creux naturels de cette élévation dans laquelle elle s'enfonçait profondément. Peut-être était-ce à l'origine un temple ou les restes d'un village troglodytique. Personne, hormis les sorcières qui l'habitaient depuis toujours, ne l'avait jamais explorée.

Et personne ne se serait risqué à la visiter en l'absence de Trois-Yeux. Toutes les ouvertures de la bâtisse étaient protégées par des formules magiques en ourdou et des signes tarabiscotés qui appelaient à passer sa route.

Amiya avait repéré des signes identiques gravés sur les pierres le long du chemin. La sorcellerie imprégnait les lieux. Trois-Yeux n'eut pas à pousser la porte d'entrée, sur le battant de laquelle était peinte la figure rassurante de Ganesha. Elle s'ouvrit sur les deux servantes sourdes et muettes que la sorcière avait achetées à leur famille vivant à Chunar. En les prenant à son service, elle leur avait évité le sort des pauvres de cette région de l'Uttar Pradesh, qui s'épuisaient dans les grandes carrières de grès rouge d'où était tiré le principal matériau des monuments et des sculptures. Cette bonne action lui avait permis d'acquérir des collaboratrices discrètes qui n'avaient aucun lien avec les indigènes d'Aunrai. Les deux jeunes femmes posèrent les mains sur leur poitrine et s'inclinèrent devant leur maîtresse.

Quand elles levèrent les yeux sur Amiya, Trois-Yeux usa du langage des mains et leur expliqua que la petite fille était sa protégée et qu'elles devaient la considérer comme sa fille.

Elles parurent ravies et s'enquirent de sa santé car Amiya avait la pâleur d'une malade. Trois-Yeux les rassura :

– Elle a très faim, dit-elle à haute voix tout en se servant de ses mains pour communiquer.

Elle observa Amiya d'un air navré.

– Tu es aussi maigre qu'un intouchable, constata-t-elle en palpant le bras de sa protégée.

Amiya n'eut pas un geste de recul ; elle se laissa faire. Les doigts de Trois-Yeux étaient doux et bienfaisants.

– Il faut remplir cette chair. Les hommes n'aiment pas les maigres. Viens avec moi.

Les servantes partirent en avant. La maison était vaste. Elle donnait l'impression d'être faite de rajouts successifs. Un nombre impressionnant de pièces sombres dont l'utilité échappait à la compréhension d'Amiya formaient comme un labyrinthe. Elles pénétrèrent dans la cuisine enfumée qui fleurait bon le curry. Trois-Yeux la fit asseoir sur un banc devant une table comme en possédaient les étrangers. Une servante s'empressa de lui servir un bol de shrikhand. Amiya en avait bu une seule fois, lors du mariage de son frère Payod. Elle se délecta de ce yaourt aigre-doux agrémenté de noix et de safran.

– Mange ! Mange ! l'encouragea Trois-Yeux en lui servant elle-même une écuelle de riz nappée d'un curry à la viande de mouton.

Amiya eut droit ensuite à du tandoori de poulet mariné dans du lait et des épices. C'était trop pour son estomac, habitué à de maigres repas. Elle continua cependant, poussée par la gourmandise.

Trois-Yeux la regardait manger ; elle étudiait le beau visage intelligent. Il y avait de la noblesse dans ses traits. Amiya, la Délicieuse, n'était pas née pour vivre dans la misère. Les dieux devaient réparer cette erreur.

« Elle ira loin », pensa la sorcière en grignotant une aile de poulet.

Une servante apporta le thé et des petits gâteaux à la pâte d'amande. Trois-Yeux versa le thé, offrit une pâtisserie qu'Amiya ne refusa pas. Il y avait encore de la place dans son ventre. Le thé avait une saveur incomparable, le halva fondait sur sa langue. Elle avait envie de parler, d'obtenir des réponses à ses interrogations. Elle prit une profonde inspiration et demanda d'une petite voix :

– Pourquoi m'as-tu amenée ici ?

– Pour que puissent s'accomplir nos destins, répondit Trois-Yeux. Tu es apparue dans mon propre horoscope, il y a quelques années. Mais je ne sais pas encore exactement ce que je dois faire de toi.

Trois-Yeux laissa s'écouler du temps avant de tendre la main vers la fillette. Amiya contempla cette main ouverte aux ongles longs. Un œil y était tatoué.

– Viens avec moi, dit Trois-Yeux tandis que ses doigts chauds se refermaient sur ceux d'Amiya.

La visite commença.

Elle l'emmena dans une vaste pièce percée de petites fenêtres carrées.

– Tu dormiras ici, dit Trois-Yeux, sous la protection de Vishnou.

Amiya posa un regard circonspect sur la blanche statue du dieu qui repoussait les ombres de la pièce. L'espace était suffisant pour une famille entière. Des tapis moelleux couvraient le sol ; des coffres ouvragés meublaient les coins. Son regard se posa sur la natte placée aux pieds du dieu. Amiya se dit qu'elle ne trouverait jamais le sommeil sous l'œil de Vishnou.

– Ne puis-je pas coucher avec les servantes... ou dans la cuisine ? avança-t-elle prudemment.

– Non, tu dois t'habituer à vivre près des dieux... comme une princesse, ajouta Trois-Yeux. Vishnou veillera sur tes rêves ; il te montrera la voie. Je préfère que tu sois près de lui ; dans cette maison, il n'y a pas que des bons génies.

Ce dernier argument avait de quoi inquiéter la petite fille, mais elle finit par acquiescer.

– Puisqu'il le faut, je dormirai ici.

– Nous apporterons des offrandes à Vishnou.

L'affaire était entendue. Les servantes apparurent, elles portaient une grande bassine pleine d'eau.

– Déshabille-toi, commanda Trois-Yeux.

Amiya eut un mouvement de recul.

– Tu dois te laver et te purifier.

Amiya rougit. Elle ne s'était jamais montrée nue devant quiconque, pas même devant sa mère et ses sœurs depuis qu'elle était en âge de marcher. Comme toutes les Indiennes, elle se lavait à la rivière, vêtue de son sari. Tandis qu'elle ne faisait aucun geste pour se dévoiler, Trois-Yeux insista :

– Allez, débarrasse-toi des mauvaises influences de l'Huître.

La sorcière ouvrit un coffre. Elle en retira un sari magnifique, d'un jaune pâle rayé d'orange vif, puis, tout en le déroulant à la lumière d'un rayon de soleil qui filtrait par la fenêtre, elle le présenta à Amiya.

– Tu mettras ce sari. Il est à ta taille.

Les paupières d'Amiya se mirent à battre comme des ailes de papillon. Ce tissu avait été filé par une déesse ; elle n'en avait jamais vu de pareil au village. Elle portait un sari au bleu passé, aux bords effilochés, maintes fois reprisé. La perspective d'être vêtue comme une fille de la caste des brahmanes lui ouvrit des horizons qu'elle croyait réservés à ses rêves les plus fous.

– C'est trop beau, murmura-t-elle.

– Bah, fit Trois-Yeux. Il n'est pas brodé d'or, mais il est bien mieux que le chiffon que tu as sur le dos.

Amiya ne tergiversa plus. Elle ôta son vêtement à la hâte, dévoilant son corps mince. Trois-Yeux la détailla et son opinion se renforça. La fillette était sans défaut. Aucune tache n'enlaidissait sa peau d'ivoire doré ; elle avait des fesses rondes malgré son manque de poids. Ce qui était un atout.

– Je le savais, fit la sorcière. On pourra faire de toi une danseuse sacrée.

– Une danseuse sacrée ? Comment cela se pourrait-il ? La danse des dieux s'apprend dans un grand temple, fit Amiya sur un ton d'incompréhension.

Elle avait vu une seule fois une danseuse, à

Aunrai. Les prêtres du village l'avaient fait venir pour la fête de Krishna et elle avait dansé pour la population devant le temple. À cette occasion, elle avait appris de la bouche des adultes comment et pourquoi on devenait danseuse. Son père avait évoqué la prostitution exercée par ces femmes obéissant à un gourou, mais il n'en avait pas paru choqué. Une chose l'avait frappée tandis qu'elle écoutait ces conversations. Une phrase répétée à plusieurs reprises : « Les devadasis sont des femmes libres. »

– Je t'enseignerai les bases de la danse sacrée.

La voix de Trois-Yeux n'était plus qu'un murmure. La vieille femme semblait perdue dans un songe. Elle avait le regard humide. Elle ajouta :

– Mon père était un gourou du temple de Shiva à Bénarès... et ma mère a dansé pendant vingt ans.

C'était dit. Elle avait livré son secret. Elle s'en trouva soulagée. Personne ne connaissait son passé à Aunrai ; un jour, elle était arrivée dans cette maison, qui appartenait à sa grand-tante.

– Pourquoi n'es-tu pas devenue danseuse ? demanda Amiya.

– Je ne voulais pas offrir mon corps pour enrichir Shiva et mon père. J'ai vu ma mère mourir d'une maladie sexuelle. Et puis, j'avais le don. Chez nous les femmes naissent avec la magie dans le sang, et quand mon père a compris que je ne deviendrais jamais une grande devadasi, il m'a envoyée chez ma grand-tante... la sorcière d'Aunrai, dit-elle en souriant.

– Mais tu n'étais pas obligée d'offrir ton corps ! s'étonna Amiya.

– Il est difficile, quand tu es une adolescente, de ne pas obéir à ton père. Si j'avais persévéré, il l'aurait exigé. Oh, n'en parlons plus. Tu es maintenant ici chez moi. Pas dans un temple de Shiva. Je prendrai soin de ne pas t'imposer le désir des hommes.

Amiya se raidit. Une servante l'avait prise par la main et la poussait vers la bassine. Elle y entra ; elle avait de l'eau jusqu'aux genoux. Elle se raidit plus encore quand les sourdes-muettes se mirent à l'étriller en la savonnant.

Trois-Yeux se retira en soupirant d'aise. Ses visions ne l'avaient pas trompée ; son horoscope disait vrai. Amiya serait parfaite dans le rôle qu'elle lui destinait.

15

Le souffle venait de la Musi. Il était chaud et chargé d'effluves, charnel et mystérieux. Sajils, l'Ornée, princesse d'Hyderabad, maîtresse du palais, huma cet air qui se mêlait à l'arôme capiteux de son propre parfum. Ce parfum, elle l'avait fait préparer par un apothicaire arabe du bazar réputé pour ses enchantements et ses élixirs. Il lui avait garanti un charme irrésistible. L'odeur lui monta à la tête. Sajils ne douta pas de la puissance magique de cette fragrance à la composition secrète ; elle était comme sous l'influence d'une drogue, les joues en feu, les narines palpitantes, les bouts de ses seins durcis.

Elle se domina.

Un grand miroir fixé entre deux lingams recouverts de feuilles d'or martelées symbolisant le feu lui renvoyait l'image d'une femme exceptionnelle qui n'avait pas sa pareille sur terre. Les dieux l'avaient favorisée dès la naissance en lui faisant don d'une enveloppe charnelle semblable à celle de la déesse Durga. Cette comparaison était de notoriété publique. Les courtisans la répétaient à tout propos afin de s'attirer ses faveurs ; les meilleurs poètes se livraient à des joutes oratoires en la louant. Elle eut un sourire en se remémorant l'éloge que lui avait rapporté l'un de ses espions : « Sajils, notre divine princesse, a le corps élancé, souple comme une liane, des hanches larges comme la lune pleine, des seins fermes et menus, emplis de nectar... »

Son sourire s'accentua et une petite rougeur monta à ses joues. Les courtisans disaient aussi qu'elle avait les cuisses fraîches et solides comme la trompe d'un éléphant. Ces mièvreries frisaient parfois le ridicule.

« Suis-je réellement comme ils me décrivent ? »

Sajils se tourna vers la statue de la déesse Durga, lointaine et contemplative, qui régnait dans cette pièce privée où elle aimait se réfugier.

« Suis-je telle que je me vois ? »

Ce n'était pas une question, mais une certitude. Sa voix s'éleva soudain, en une audacieuse déclamation vers la déesse :

– Je suis la rayonnante, la dispensatrice des richesses, celle qui sait. Je viens la première dans tous les rites, les dieux m'ont installée dans des demeures innombrables. Mon empire est immense. Je réside en tout ce qui est, c'est de moi que vient tout ce qui se mange, tout ce qui se voit, tout ce qui respire, tout ce qui s'entend. Ceux qui m'ignorent sont détruits. Écoutez donc et méditez avec respect ce que je dis. Je suis la joie des dieux comme celle des hommes. Ma grandeur dépasse le ciel et la terre. Et cet homme presque un dieu, Michel, m'appartiendra corps et âme...

Ledit Michel avait passé la matinée à attendre avant de se décider à se rendre en ville avec Dhama. Ils avaient un contact à Hyderabad, un partenaire en fait, négociant en soierie et cotonnade, avec qui ils entretenaient des comptoirs dans le centre de l'Inde. L'homme leur avait appris que la tension était encore montée entre le Pendjab et l'Angleterre, et que la reine régente Jundan avait eu l'audace d'inciter publiquement ses sujets sikhs à piller et incendier les propriétés de la Compagnie des Indes. Il leur avait également enjoint, à la grande satisfaction de Dhama, de ne pas s'attarder au palais du raja Kirat afin de ne pas froisser la susceptibilité de son rival musulman le sultan. Argument repris tout au long de l'après-midi par le moine, qui avait fini par exaspérer Michel. En retournant au palais, il congédia Dhama et alla se détendre à nouveau dans ses appartements. Il avait encore envie d'un bain.

Les cinq serviteurs mis à sa disposition étaient efficaces. Deux d'entre eux connaissaient quelques mots de français. Ce n'était pas un hasard. On faisait tout pour lui rendre le séjour agréable. Il y avait cependant une note discordante ; elle venait du décor. Jusqu'à ce soir, il n'y avait pas prêté trop d'attention.

Sur la terrasse qui s'avançait comme une plateforme de marbre au-dessus des manguiers, avait été érigée une imposante statue de la déesse Durga sous son aspect terrible et guerrier. Il tiqua en la détaillant. Il y avait des Durga partout dans le palais. On devait leur présence à la princesse Sajils, qui la vénérait, la plaçait au-dessus de Brahma, de Vishnou et de Shiva et des autres divinités majeures du panthéon indien. On disait même que la princesse croyait être l'une des réincarnations de cette déesse.

La Durga qu'examinait Michel transperçait de sa lance le monstre buffle Mahishasura. Ce combat épique l'avait toujours mis mal à l'aise. Il ne savait pas exactement pourquoi. Peut-être y avait-il un peu du buffle en lui ?

– Le bain est prêt, seigneur, dit un serviteur en français.

Il se dévêtit sans se soucier de la présence de ces hommes. Contrairement à leurs femmes, les Indiens ne faisaient aucun cas de leur nudité. Il s'enfonça enfin dans l'eau avec délice, s'abandonnant au massage de sa nuque et de sa tête. Il se serait endormi en rêvant de Hiral si le commandant de la garde, Bikram, n'avait fait irruption dans ses appartements.

– Le raja est prêt à vous recevoir, dit l'arrogant officier sans le saluer.

Le maître l'attendait. Les serviteurs aidèrent Michel à se vêtir d'une chemise blanche à col montant et à boutons d'or, d'un pantalon ocre serré aux chevilles, de mocassins de cuir souple. Ils lui présentèrent un poignard d'apparat dans sa gaine sertie de perles de différentes couleurs. Il le passa dans la ceinture de soie.

– Je vous suis, dit-il enfin froidement à l’officier.

Dhama les attendait dans le couloir ; il se plaça au côté droit de son ami. Lui aussi avait des poignards, mais ce n’étaient pas des armes d’apparat.

16

Des sons cristallins parvenaient aux oreilles de Michel et de Dhama. Ils provenaient des rideaux faits de centaines de petits cylindres en argent et en bronze doré que les courants d'air agitaient. Les marbres les plus rares avaient été utilisés dans cette partie du palais, roses striés de gris, blancs veinés de bleu coulant des colonnades jusqu'au sol d'ébène grainé d'or ; les meilleurs peintres s'étaient relayés durant trois cents ans pour reproduire des scènes des Veda. Et il y avait les dieux et les génies, innombrables, puissants, compatissants, vengeurs, avec tous leurs attributs, peuplant les salles obscures ou ensoleillées. Partout des Durga, qui semblaient suivre les intrus de leurs regards de pierre ou de verre.

Ils franchirent plusieurs rideaux d'argent et de bronze. Chaque fois, la gamme apaisante des ondes métalliques s'amplifiait. L'ambiance était magique. Trop, au goût de Dhama. Le moine avait l'expérience de ce genre de lieu. Il banda tous ses sens à la vue des gardes armés de lances qui protégeaient le refuge du raja. La salle dans laquelle ils pénétrèrent était de grande dimension et en forme de demi-cercle. Des fenêtres ogivales s'ouvraient sur les toits des temples et les dômes flamboyants des mosquées.

Kirat était allongé sur des coussins, une vingtaine de femmes l'entouraient, attentives à ses désirs et à ses caprices. L'une d'entre elles se démarquait par son exceptionnelle beauté.

La princesse Sajils. Déesse incarnée pour les hommes. Michel et Dhama ne purent s'empêcher de lui lancer un regard appuyé. Force était de constater qu'elle avait encore embelli. Dans une pose étudiée, elle entourait d'un bras son fils Avamndra. L'enfant ne lui ressemblait guère, et il paraissait perdu, dans le monde sophistiqué et onirique de son grand-père.

Kirat avait les pupilles dilatées. Il n'avait pas encore quitté complètement ses rêves d'opiomane. Michel fit mine de rien remarquer et s'inclina devant lui.

– Je te salue, grand raja.

– Pas d'étiquette entre nous, mon ami. Assieds-toi à mes côtés, répondit Kirat de sa chaude voix en lui désignant un coussin.

Michel se retrouva entre le monarque et sa fille.

– Tu es donc sain et sauf et je m'en réjouis, poursuivit Kirat.

– Et pourquoi ne le serais-je pas ?

– J'ai entendu dire que les Anglais s'apprêtaient à déclarer la guerre aux sikhs et que tu étais très proche de ces derniers. N'as-tu pas passé des accords avec la régente Jundan, risquant ainsi ta tête ?

– Je ne le nie pas. J'entretiens de bonnes relations avec la régente des sikhs et, s'il le faut, je me battrai à ses côtés quand la guerre éclatera. Je suis français, ne l'oublie pas. Les Anglais ont toujours été les ennemis de mon peuple.

– Moi aussi, je n'aime pas les Anglais, mais il me déplairait de te savoir pendu à un gibet. Je perdrais un ami...

– Je suis là, Kirat. N'est-ce pas l'essentiel ?

– Oui, tu as raison. Et que me rapportes-tu de ton expédition ?

– Les choses habituelles... des pierres précieuses, des miniatures, des bijoux, des tapis... Et ceci est pour toi, fit-il en lui montrant un gros saphir qu'il avait glissé dans sa poche. En gage d'amitié, ajouta-t-il alors que Kirat admirait l'eau de la pierre.

– Je te remercie, Michel. Et qu'as-tu à me vendre ?

Michel fit un signe à Dhama. Celui-ci s'avança en présentant une boîte en bois de rose qui avait la forme d'un plumier. Il fit glisser le couvercle, dévoilant dix émeraudes, dix saphirs et dix rubis d'une taille exceptionnelle.

– Des joyaux d'empereur, dit Michel.

Les pupilles de Kirat s'amenuisèrent. Il émit de petits sifflements. Les pierres lançaient des feux.

– C'est magnifique, magnifique...

Les femmes se rapprochèrent, s'exclamèrent à leur tour, imaginant les porter en couronnes. Sajils, qui n'avait montré aucun signe de convoitise jusqu'à cet instant, les renvoya d'un geste impérieux sur leurs coussins.

– Père, je veux cette pierre, dit-elle en pointant son index sur le plus gros rubis.

– Elle est à toi, je prends aussi toutes les

autres. Ton or en roupies te sera compté avant ce soir, dit Kirat en bâillant.

Sajils frappa dans ses mains. Aussitôt des serviteurs apportèrent des friandises sur des plateaux d'argent et dans des conques de jade. Et il n'y eut pas que du thé de Darjeeling pour délayer ces fondantes bouchées sucrées. Des bouteilles de vin de Bordeaux, de Bourgogne, d'Italie, de Grèce et de Crète furent débouchées. Kirat mettait un point d'honneur à posséder toutes sortes de crus et d'alcools. Michel dut goûter à tous. Ce fut une expérience difficile. Plus de la moitié de ces crus avaient souffert durant leur long voyage sur les mers et les océans, à travers les contrées brûlantes ou humides de l'Asie. Et il n'y avait pas de cave digne de ce nom pour les conserver à Hyderabad. Mais Michel se garda bien de froisser son hôte, dont les réactions pouvaient être violentes. Être l'ami du raja n'assurait pas l'immunité. Loin de là.

– Celui-ci est le meilleur, déclara Michel en faisant miroiter le sang d'un bordeaux dans son verre de cristal.

Le raja imita le Français, joua au connaisseur.

– Je savais qu'il aurait ta préférence.

Ils trinquèrent à la française tandis qu'un

fonctionnaire du trésor remettait deux gros sacs d'or à Dhama. Le moine était de plus en plus soucieux. Il n'aimait pas le regard que la princesse jetait sur son ami. Il eut l'impression que Michel était une proie que Sajils s'apprêtait à dévorer.

17

Dès qu'il avait aperçu la maison de Trois-Yeux, Payod avait rebroussé chemin. Une peur irrationnelle s'était emparée de lui et, ne se sentant pas prêt à affronter la sorcière, il avait préféré se rendre au temple d'Hanumant. Le dieu singe, commandant de l'armée, avait aidé Rama à conquérir Lanka et à tuer le démon Ravana ; il pouvait aider Payod à reprendre Amiya à la sorcière. Aussi le pria-t-il ardemment. Au bout d'une heure, raffermi dans sa volonté, il se décida à en finir avec cette histoire de famille.

À présent, il se sentait courageux. Il marchait d'un pas soutenu vers l'inquiétante bâtisse tatouée de signes magiques. Il en tirerait sa sœur, de gré ou de force. Amiya devait payer pour ce qu'elle avait fait ! Il pensa à sa femme qui souffrait. La plaie de sa cuisse s'était mal refermée. Les douleurs atteignaient maintenant son ventre et elle boitait de plus en plus. Tant que l'Huître souffrirait, il en subirait les conséquences. Non seulement, il devait ramener sa sœur, mais il devait aussi convaincre Trois-Yeux de soigner son épouse.

« Ça devrait bien se passer », se dit-il en posant une main sur la bourse contenant les roupies.

Il serra cependant les dents en parvenant au but. Le Ganesha peint sur la porte était un bon signe. Il s'étonna de le voir figurer sur cet huis. Cela ne ressemblait pas à Trois-Yeux, plus connue pour ses maléfices que pour sa bonté. Il frappa du poing afin de marquer sa résolution. Une sourde-muette lui ouvrit et le regarda de la tête aux pieds.

– Je suis le frère d'Amiya ! Je veux voir ta maîtresse ! Je suis Payod Madhav !

Elle dut lire sur ses lèvres car elle acquiesça du chef, puis agita sa main devant elle en lui faisant comprendre d'attendre. La porte se referma. Une minute s'écoula. La ferme résolution de Payod s'effritait. Il eut comme un réflexe de défense de tout son corps quand Trois-Yeux apparut.

– Payod ? Quelque chose ne va pas ? demanda-t-elle avec malice.

– Ne te moque pas, femme ! Tu sais pourquoi je suis ici.

– Ton épouse ne s'est pas rétablie, je sais.

– Nous parlerons de mon épouse plus tard. Rends-moi d'abord ma sœur.

– Si je te la rends, tu vas la remettre entre les mains de ton épouse, qui la battra.

– Tu n'as pas le droit de la retenir. C'est un enlèvement.

– Crois-tu ? Amiya est là de son plein gré.

– Tu mens !

– Calme-toi, Payod. J'ai le droit de protéger cette enfant. Tes parents m'approuveraient s'ils étaient vivants...

– Mais ils sont morts et je suis le chef de famille !

– C'est exact. Je ne conteste pas ton titre. Nous pourrions discuter du sort d'Amiya devant le représentant du raja. Qu'en penses-tu ?

Trois-Yeux se fit matoise, laissant planer une menace. Payod savait que la sorcière entretenait les meilleures relations du monde avec les nobles de la province. Ces chiens des castes supérieures l'utilisaient à des fins malhonnêtes. Il n'avait aucune chance d'obtenir gain de cause si l'un d'eux intervenait. Pire, il risquait d'être mis à l'amende.

– Non, non... On peut s'arranger autrement, fit-il en baissant le ton et en prenant la bourse cachée sous sa chemise. J'ai là cent roupies ; elles sont pour toi si tu acceptes de me rendre Amiya et de guérir mon épouse.

– Cent roupies pour une fillette et une guérison... C'est une belle somme. Je dois réfléchir à ta proposition... bien que l'argent ne puisse entrer en ligne de compte. N'oublie pas que ta chère épouse a provoqué la colère de Kali la Noire. Mille barres d'or ne sauraient détourner la déesse de sa vengeance. Entre et voyons ce que nous pouvons faire...

Payod hésita. On racontait tant de choses étranges sur cette maison. Des vibrations couraient le long des murs du couloir. Il était très superstitieux, enclin à voir des démons partout, au service de Trois-Yeux.

– Tu es sous ma protection, dit la sorcière.

Cet argument le convainquit. Il s'ébranla, d'un pas mal assuré. Elle le mena dans une pièce voûtée encombrée de pots, de fioles, de bocaux, de plantes et d'animaux desséchés. Deux squelettes pendus à des chaînes, les os maintenus par des articulations de fer, oscillèrent sur leurs axes quand ils entrèrent.

– Ce sont des gardiens, commenta Trois-Yeux en constatant que Payod n'en menait pas large. Ils ont été enchantés par mon arrière-grand-tante, Songa. Les esprits les craignent. Chaque os porte un signe magique.

Payod remarqua les minuscules signes tracés en rouge sur les os. Il songea aux ancêtres de Trois-Yeux. Des femmes terrifiantes, à la puissance immense, capables de tenir tête aux dieux et aux démons. Songa avait atteint la perfection dans son domaine. On parlait encore d'elle à mots couverts. Il déglutit.

– Mon grand-père nous racontait que Songa a connu une fin étrange. Elle croyait être l'égale des dieux ; elle pensait même pouvoir en asservir certains et prolonger indéfiniment sa vie. Et elle a été condamnée par Agni. Un jour, alors qu'elle se rendait au temple, elle a disparu dans un grand embrasement de feu. Mais nous ne sommes pas là pour évoquer les exploits et les drames de mes ancêtres guérisseuses...

Balayant le passé d'un geste de la main, elle contourna les squelettes, se pencha et ramena un petit coffret qu'elle posa sur une table couverte de manuscrits. Il était plein de roupies. Face à un Payod déconcerté, elle se mit à compter les pièces. Parvenue au chiffre de trente, elle les poussa vers lui.

– Voilà qui me semble honnête. Je t'offre cette somme contre la liberté de ta sœur et je m'engage à soigner gratuitement ton épouse.

Payod en resta bouche bée.

– Il n'y aura pas d'autres propositions, continua Trois-Yeux, et je ne forcerai pas Amiya à quitter cette maison.

– Mais c'est que...

– La paix, Payod ! Je sais que tu as peur de ton épouse.

– C'est faux !

– Tu trembles devant elle. Tout le monde le sait au village et on rit de toi quand tu te rends au temple pour faire tes dévotions. Tu es l'ombre de ton père et je le regrette. Un homme ne doit pas se laisser mener par ses épouses. En ne t'imposant pas dans ta famille, tu romps le fragile équilibre établi depuis des millénaires, tu mets en danger ta caste.

La honte le fit rougir. Ainsi, on riait de lui. Ainsi, il n'était pas digne de sa caste, il trahissait la mémoire de son père et salissait le nom des Madhav...

– Je mettrai un terme aux ragots... commença-t-il d'une voix sans conviction.

– Tu ne mettras un terme à rien du tout ! Si tu ne te reprends pas, tu perdras ta clientèle, tes amis. Tes parents te tourneront le dos et tes enfants en viendront à te mépriser et t'abandonner. Continue ainsi et tu finiras mendiant dans les rues fangeuses de Bénarès.

– Et que me conseilles-tu ?

– Répudie l'Huître et prends une épouse jeune qui te donnera des enfants. Je peux m'en charger, si tu veux...

– Non ! Non ! J'aime ma femme. Je veux qu'elle guérisse !

– Alors, prends l'argent et affronte sa colère si tu es un homme.

Payod rafla les roupies. L'affaire était conclue. Trois-Yeux eut un sourire en coin. Elle se fichait de l'avenir de Payod et de la santé de l'Huître. Désormais, Amiya lui appartenait. L'initiation pouvait commencer.

18

Amiya, cachée par Trois-Yeux dans un petit réduit, avait tout entendu de leur conversation. Elle en était bouleversée, éprouvant un sentiment de honte pour Payod et tous les siens, honte qu'elle prenait pour elle aussi car elle était d'abord et avant tout une Madhav. Elle se tenait en partie pour responsable et elle n'avait pu retenir ses larmes, imaginant même de se livrer à l'Huître afin de calmer les esprits. Il avait fallu beaucoup de patience et de tendresse à Trois-Yeux pour calmer la fillette. Amiya avait fini par accepter la situation. Sa vie et son éducation étaient entre les mains de la vieille femme. Cette dernière s'était dit qu'il ne fallait plus attendre, qu'elle devait lier étroitement et définitivement le destin d'Amiya au sien.

Amiya et Trois-Yeux s'enfonçaient dans les entrailles de la terre. Amiya découvrait que la maison de sa protectrice n'était que la partie apparente d'un vaste domaine mystérieux creusé profondément dans la roche. Des tunnels, des escaliers, des passages étroits menaient à d'anciens lieux de culte. Elle n'avait jamais entendu parler de cet endroit, inconnu des habitants d'Aunrai.

Malgré la présence et l'assurance de Trois-Yeux, la crainte gagnait Amiya. Des esprits rôdaient ; il lui semblait sentir leur souffle glacé sur son visage. Aussi se collait-elle à Trois-Yeux, qui ouvrait le chemin à l'aide d'une lanterne.

– Tu n'as rien à redouter. Il y a longtemps que ces lieux nous appartiennent. Mes servantes s'y rendent plusieurs fois par jour afin d'entretenir les petits temples que tu vas voir, et elles ne s'en portent pas plus mal.

Une clarté orangée se fit au bas de l'escalier aux marches usées qu'elles venaient d'emprunter.

– C'est ici que règnent les Matrikas, dit la sorcière sur un ton volontairement grave et respectueux.

Elles pénétrèrent dans la salle taillée dans

la roche. Trois-Yeux avait dit vrai. L'endroit était entretenu. Des dizaines de bougies noires et rouges éclairaient d'effrayantes statues en granit.

– Tu as devant toi les Matrikas.

Les Matrikas... Amiya découvrait leur existence pour la première fois. Les Sept Mères aux yeux exorbités, aux sourcils froncés, les babines retroussées sur des crocs de vampire, occupaient le tiers du cercle de la salle ronde. Des serpents et des crânes paraient leurs poitrines fermes.

– Prosterne-toi, commanda Trois-Yeux en s'agenouillant.

Leurs fronts touchèrent les dalles sur lesquelles s'inscrivaient des signes. Amiya ignorait tout des Mères redoutables. Trois-Yeux devina qu'elle s'interrogeait et expliqua, tout bas :

– Les Mères ont fait leur apparition en même temps que le choléra, la variole, la peste et les terribles épidémies qui ont causé tant de malheurs au monde.

– Ne vont-elles pas s'éveiller ?

– Elles ne dorment pas ; elles parcourent en ce moment même la surface de la terre. Les hommes n'ont jamais autant péché et les dieux se servent des Matrikas pour les punir.

– Oh, fit Amiya en essayant de se faire toute petite.

– Mais elles sont aussi les sept voyelles, base des langages. Je t'apprendrai les voyelles et les langages. Tu sauras lire et écrire. J'en fais le serment sur les Mères. Qu'elles te protègent. Et que te protègent aussi les Dakinis. Nous allons leur rendre visite et t'apprendre à dominer tes peurs. Tu te dois d'être forte, Amiya, et je vais m'y employer.

À l'évocation des Dakinis, le sang d'Amiya se retira. Elle regretta d'avoir suivi la vieille femme. Il était trop tard pour reculer.

Plus bas, toujours plus bas dans la matrice de la terre. Des tunnels sans fin. Des passerelles de bois jetées sur des gouffres dont on n'apercevait pas le fond. Partout, des couloirs s'entrecroisaient, se ramifiaient, telles les racines d'un arbre gigantesque. Il faisait presque froid. Trois-Yeux tenait fermement Amiya par la main, lui communiquant sa force. Elle l'entraînait dans des ténèbres qui lui appartenaient. Elle avait autrefois emmené des enfants dans cet antre, aucun n'avait résisté à la peur. Amiya était d'une autre trempe. Amiya aurait pu appartenir à une caste de guerriers ; elle n'avait rien de commun avec les Madhav. Il suffisait de regarder Payod pour s'en convaincre. Ce lâche devait être en train de capituler devant son épouse. En tendant sa pensée vers lui, elle sut qu'elle ne s'était pas trompée. Elle le perçut, tel un animal affolé face à un prédateur.

Payod recula. Il se retrouva coincé entre deux fours de l'atelier, acculé par l'Huître qui l'abreuvait d'injures et d'invectives. À présent, elle le menaçait de son bâton.

– Honte à toi !

La honte le submergeait ; il la communiquait à ses frères, aux ouvriers, aux apprentis qui observaient la scène. Ils la partageaient en tant qu'hommes et priaient pour qu'il se rebellât. Pourquoi se laissait-il insulter ainsi par cette femelle ? Un homme devait se faire respecter par une femme, la battre au besoin, comme on bat le cuir pour l'assouplir. Quelques-uns d'entre eux auraient tué l'Huître, s'ils avaient été à sa place. Payod croisa le regard meurtrier d'un de ses frères. Pendant un instant, il fut sur le point de se jeter sur l'Huître, de la désarmer et de la gifler, mais cet instant passa.

Il reçut le coup de bâton en plein visage.

La honte était consommée. Les hommes se détournèrent de lui. Payod ne méritait pas leur pitié.

19

Ceux qui voyaient l'Huître préféraient s'écarter de son chemin. « Elle est possédée par un bhutâ », disaient-ils. Et ils évitaient son regard enfiévré, traversé de lueurs maléfiques. D'autres pensaient qu'elle avait sombré dans la folie.

À chaque pas, marmonnant des menaces, elle frappait le sol de son bâton comme pour en faire jaillir des démons. Quelques téméraires la suivirent, poussés par une curiosité malsaine, espérant un dénouement tragique. Tous savaient qu'Amiya était chez Trois-Yeux. L'Huître s'y rendait. Le face-à-face entre la sorcière et l'épouse du potier était inévitable. Ils étaient bien une trentaine derrière elle quand elle atteignit la maison de Trois-Yeux. Ils s'arrêtèrent à distance.

L'Huître cogna violemment le battant avec son bâton. Quand la porte s'ouvrit, elle se jeta à l'intérieur, bousculant la sourde-muette. La maison l'avala.

L'Huître n'avait pas peur. Contrairement à son époux, elle n'était pas sensible à la magie des lieux. La seconde servante tenta de s'opposer à elle ; elle lui assena un violent coup de bâton sur le front, lui entamant l'arcade sourcilière. Aveuglée par le sang, la jeune femme poussa des gémissements et se recroquevilla pour se protéger. L'Huître se tourna alors vers l'autre servante, mais cette dernière, paralysée d'effroi, avait perdu toute velléité de s'interposer.

L'Huître les oublia aussitôt. Elle chercha à s'orienter dans la vaste maison en fouillant toutes les pièces.

– Trois-Yeux ! Amiya ! Montrez-vous !

La rage la poussa à casser des objets, à renverser des meubles. Elle mit en pièces les deux squelettes, mais n'osa pas s'en prendre à Shiva dans la chambre d'Amiya. Le dieu lui rappela qu'elle était sous la menace de Kali la Noire. Cela la ramena un peu à la raison et lui permit de découvrir le passage menant aux anciens temples creusés sous la roche.

Assurée de retrouver plus bas la sorcière et le cancrelat, elle entama la descente après s'être munie d'une lampe à huile. Là encore, pas plus qu'auparavant, elle ne sentit fureter les spectres, glisser les fantômes, elle n'entendit les soupirs des défunts, les murmures des génies. Elle était tout entière tendue vers son désir de vengeance, attisé par ses douleurs à la cuisse et au ventre.

– Ferme les yeux, ouvre ton esprit, respire lentement, intima Trois-Yeux. Les vois-tu ? Les vois-tu ?

Amiya obéissait. Elle respirait lentement. Son cœur battait moins vite. La fumée épicée d'un encens inconnu irritait sa gorge.

– Tu y es ! Ouvre les sens de ton esprit.

Et elle les ouvrit. Elle entendit d'abord le grondement lointain d'un orage, ou d'un immense troupeau de chevaux sauvages lancés au galop, peut-être les cataractes d'une cascade. Elle ne savait au juste ce qui produisait ce bruit. Puis elle découvrit le paysage rougeoyant d'une Inde qu'elle ne connaissait pas. Elle se trouvait non loin d'une ville aux hauts remparts d'où émergeaient les toits de temples recouverts d'or surmontés de flèches touchant les nuages. Des statues géantes de

Brahma, de Shiva et de Vishnou dominaient les fortifications tenues par des milliers de soldats.

– C'est la septième bataille, dit Trois-Yeux, mais elle ne se déroule pas dans le monde que tu connais.

La sorcière se tenait à ses côtés, souriante et tendue à la fois, auréolée d'une lumière verdâtre, le regard tourné à l'opposé de la cité. De cet horizon empanaché de tourbillons poussiéreux, accourait une armée. Le grondement venait de ce mouvement. Amiya mit une main sur sa poitrine, dans laquelle son cœur s'emballait à nouveau.

– Il ne peut rien t'arriver de mal, lui dit Trois-Yeux en la prenant familièrement par l'épaule.

Comment la croire ? C'était un grouillement, une masse destructrice, une puissance que rien ne pouvait arrêter. Amiya voulut fermer son esprit, mais elle n'y parvint pas. Comme elle tentait de reculer, la main de Trois-Yeux se fit ferme sur son épaule et la maintint en place.

– Apprends à maîtriser tes peurs. Tes pouvoirs sont immenses ; ils dépasseront un jour les miens... Tu les vois, mais ils ne te voient pas. Tu es un pur esprit dans ce monde.

L'armée surgie des enfers avançait vers elles. Les Dakinis et des démons primordiaux la commandaient. Sous les étendards en lambeaux et les enseignes maléfiques se pressaient des goules, des vampires, des brutes difformes, des nains chevauchant des buffles à six cornes, des dragons crachant des flammes, des larves bavant du poison, des régiments de morts hérissés de lances, de piques et de javelots, des cavaliers sans visage montés sur de fantomatiques chevaux, des cornacs spectraux menant des éléphants de guerre aux yeux flamboyants...

Une odeur de putréfaction, de vase et de soufre se dégageait de cet affreux pullulement hurlant. Amiya parvint à juguler sa peur. Trois-Yeux avait dit la vérité. Ces monstres ne les voyaient pas. Cependant, elle eut un choc en voyant passer près d'elle une Dakini. La cruauté perlait à travers le regard sans pupille de cet être à l'apparence d'une femme de grande beauté ; la cruauté suintait du bronze ensorcelé de sa cuirasse, la cruauté se manifestait dans les hurlements sauvages qu'elle poussait, montrant ses dents aiguisées. Brandissant un trident et un crâne au-dessus de sa tête casquée, la Dakini venait de lancer l'assaut.

L'Huître traînait la jambe. Cette descente aux enfers n'en finissait pas. Elle avait atteint, quelques minutes plus tôt, le sanctuaire des Matrikas, où brûlaient des dizaines de bougies. Les inquiétantes statues ne l'avaient pas troublée outre mesure. Elle ne s'était pas étonnée de découvrir ces abominations ; elles reflétaient la personnalité et les préférences religieuses de la sorcière. Cette dernière allait convertir Amiya et en faire sa disciple. Amiya héritière spirituelle de la vieille femme... C'était l'évidence même. Tout était clair, à présent. La petite peste avait des dons, voilà pourquoi Trois-Yeux avait demandé à maman Madhav de prendre Amiya à son service.

Cela ne se ferait pas !

Elles ne devaient plus être très loin, à présent. L'Huître reprit son exploration en serrant les dents.

Les armées du mal se brisèrent sur les remparts, furent refoulées, mais d'autres troupes déferlaient, commandées par les Dakinis. Des tours roulantes avaient été amenées ; elles s'appuyaient sur les murs de la cité survolée par les dragons qui arrachaient les créneaux avec leurs serres avant de souffler le feu de leurs entrailles sur les défenseurs.

La peur n'affectait plus Amiya ; elle éprouvait simplement du dégoût à la vue de ce massacre et elle n'avait aucune envie de prolonger l'expérience. Pourquoi s'attarder dans ce monde qui n'affectait pas le leur ? Puisqu'elle avait des dons, pourquoi ne pas les utiliser à répandre le bien autour d'elle ? Trois-Yeux devait lui apprendre à guérir les maladies, à soulager les peines, à repousser la misère, à danser aussi...

Un éclair frappa la terre à quelques pas d'elles, le tonnerre claqua comme un coup de canon. Trois-Yeux et Amiya poussèrent un cri de frayeur. Il y eut un flottement dans les troupes qui montaient à l'assaut.

– Par Kuvera, le Fils de la gloire ! s'exclama Trois-Yeux.

Amiya se mit à trembler. Là, au sein d'une cohorte de morts, venait d'apparaître l'Huître.

L'Huître, qui jusqu'à présent était restée indifférente aux manifestations invisibles de la magie, hurlait de terreur. Quelques instants auparavant elle se trouvait dans une grotte peuplée d'affreuses statues représentant les Dakinis dans une ronde infernale, devant lesquelles se recueillaient la sorcière et Amiya. Elle s'était précipitée vers la fillette avec l'intention de lui fracasser le crâne. Mais, avant de l'atteindre, elle avait été aspirée comme de l'eau dans un siphon.

Il y avait eu l'éclair.

L'Huître était maintenant cernée de toutes parts par des morts et des démons.

– Ils la voient, balbutia Trois-Yeux.

Ils la voyaient, mais ne l'attaquaient pas. Une Dakini couverte de sang, chevauchant une mangouste aux crocs recourbés, fendit les rangs, mais, malgré la fureur qui animait ses traits, ne chargea pas l'intruse. Au contraire, elle recula, imitant les soldats de l'enfer dans leur repli.

Un large cercle se fit autour de l'Huître, qui avait lâché son bâton.

– Aidez-moi, implora-t-elle en tendant ses mains vers Trois-Yeux et Amiya. Je ne peux plus marcher. Aidez-moi à quitter cet endroit avec votre magie.

Ce fut alors que le sol trembla. Un tourbillon noir se forma et au sein de ce maelström la terrible Kali prit forme, grandit, domina très vite de sa haute stature toutes les créatures maléfiques qui s'enfuyaient. Kali la Noire contempla la misérable créature qu'était l'Huître, puis posant son doigt sur elle l'écarta d'un coup d'ongle.

– Tu n'as rien à faire dans ce monde. Ton temps chez les vivants n'est pas achevé. Tu dois encore souffrir. Bientôt je viendrai prendre ton âme. Bientôt...

L'Huître disparut. Kali leva son regard de braise vers Trois-Yeux et Amiya, et ce fut suffisant pour fermer leurs esprits.

Trois-Yeux et Amiya se retrouvèrent dans la grotte, abasourdies, tremblantes. À leurs pieds gisait l'Huître. Elles s'étreignirent en entendant un cri. Ce n'était pas la voix de Kali, mais celle de Payod manifestant son désespoir à la vue de son épouse inerte. Il était accompagné des deux servantes. Il se précipita vers sa femme, la souleva. L'Huître respirait encore.

– Aidez-moi à la ramener au village, dit-il.

Trois-Yeux ne répondit pas.

– Aide mon frère, demanda Amiya en prenant la main de la sorcière.

Et Trois-Yeux accepta.

20

Rien ne venait troubler la sérénité de la nuit, hormis le chant des grillons et les murmures des hommes. La ville n'était pas encore tout à fait endormie. S'endormirait-elle réellement un seul instant ? Des fanatiques musulmans priaient devant la porte de la Mecca Masjid, la plus ancienne mosquée d'Hyderabad, au-dessus de laquelle avaient été scellées des briques provenant de La Mecque.

Sajils les écoutait, non sans mépris. Comme tous les hindous, elle avait été élevée dans la haine de l'islam, ses ancêtres s'étaient battus contre les envahisseurs venus de Perse et ses descendants les chasseraient un jour du pays. Ces suppôts de Mahomet troublaient la belle nuit tissée d'étoiles.

– Qu'ils cessent ! lança-t-elle à la déesse Durga.

C'était un ordre. Le hasard fit que les dévots s'arrêtèrent de prier, mais Sajils ne douta pas de l'intervention de la déesse. Elle alla aussitôt se prosterner aux pieds de la statue guerrière au visage courroucé.

– Je ferai élever ton temple sur les collines bordant la Musi, des plaques d'or recouvriront son toit et ses flèches en pagode domineront les minarets de la Mecca Masjid.

C'était présomptueux et hardi de sa part car la célèbre mosquée d'Hyderabad était l'une des plus grandes de ce monde ; les jours saints, elle accueillait dix mille fidèles. Mais Sajils était sincère ; elle était prête à dépenser des millions de roupies pour honorer sa Durga. Elle la pria et quand son cœur fut rassasié, elle se tourna vers les servantes impassibles qui attendaient dans l'ombre.

– C'est le moment, leur dit-elle. Préparez-moi.

Les femmes connaissaient parfaitement leur travail ; elles étaient entièrement dévouées à l'entretien de la beauté de leur princesse. Chacune avait été formée et spécialisée en ce sens dès son adolescence. Tels des papillons de nuit, elles l'entourèrent.

Leurs mains expertes maniant les brosses et les pinceaux la peignèrent et la maquillèrent. On eût dit un ballet ; elles allaient et venaient, graciles, souriantes, conscientes de la fragilité de leur statut au sein du palais. Elles redoublèrent d'attention quand Tanika, la Corde, apparut. Elles redoutaient cette femme qui vivait dans l'intimité de Sajils. Tanika veillait sur la princesse depuis le berceau. Elle était sa conseillère, sa confidente, son âme damnée. Âgée d'une cinquantaine d'années, célibataire, le cœur endurci, elle avait déjoué tous les complots du harem.

Entièrement vêtue de blanc et coiffée d'une tresse alourdie d'anneaux d'argent, elle entra dans le champ de lumière diffusée par les lampes à huile montées sur des trépieds. Elle avait l'air grave.

– Allons, souris donc, lui dit Sajils. Je ne me fais pas belle pour le bûcher !

La plaisanterie ne dérida pas Tanika.

– Je ne partage pas ton optimisme, répondit-elle avec le fort accent des femmes du Bengale.

Elle retrouvait cet accent quand elle était en colère.

– J'aime cet homme, murmura Sajils.

– Il n'est pas de ton rang ! Pas de ta race !

– Mon père l'élèvera au rang de prince. Les brahmanes le purifieront !

– Comment nos prêtres pourraient-ils purifier un homme qui n'a pas grandi dans notre religion ? Un chrétien...

Tanika eut une moue de dégoût. La haine perçait à travers son regard d'un noir de jais. Six ans auparavant, sa famille avait été massacrée par les Anglais, des chrétiens, tout comme ce Michel Casenove. Son père, ses frères, ses oncles, ses cousins et toutes les femmes de sa branche appartenaient au mouvement des thugs si violemment réprimé. Elle songea à Kali, la déesse adorée par les thugs, à cette force noire dont elle avait nourri Sajils, à toutes les Durga du palais, émanations de Kali.

– Je sais à quoi tu penses et je partage ta peine. Les tiens seront un jour vengés, j'en ai fait le serment devant Durga-Kali le jour où j'ai eu mes sangs, dit Sajils d'une voix émue avant de durcir le ton : Ne te trompe pas d'adversaire, Tanika. Tu devrais savoir que le seigneur Michel nourrit la même rancœur que toi à l'égard des Anglais...

– Et je sais aussi qu'il aime une autre femme !

– Ne parle pas d'elle !

– Crois-tu pouvoir rivaliser avec Hiral l'Étincelante ?

– Oui ! Je l'arracherai du cœur de Michel ! Et tu vas m'aider !

– T'aider ?

– Attise mon désir. C'est tout ce que je te demanderai pour l'instant !

Tanika soupira. Il ne servait à rien de contredire Sajils ; elle avait toujours le dernier mot. Elle mit son don au service de l'intransigeante princesse. Sa voix se répandit en une onde chaude :

– D'une main caressante, il se glissera jusqu'à la jointure de tes cuisses. Tu t'agiteras et voudras repousser sa main. Alors il te dira : « Quel mal y a-t-il à cela ? » À ces mots, tu t'abandonneras. Ensuite, il caressera tes parties secrètes...

Dhama somnolait dans une petite pièce attenante à la chambre de Michel ; il avait réussi à se faire attribuer ce minuscule espace pour veiller à la sécurité de son ami. Il se tenait dans la position du lotus, son sabre posé sur ses cuisses. Il ne parvenait toujours pas à repousser ses angoisses. Les démons n'étaient pas loin ; il les sentait. Il avait toujours été tourmenté par leur présence. Il tenait ses croyances de ses parents superstitieux. Quand il était novice, les moines dzo versés dans la magie lui avaient appris à craindre les démons ; s'il n'avait pas décidé de quitter la vie monastique, peut-être aurait-il appris à les dominer et à se servir d'eux. Les démons du bouddhisme étaient innombrables ; il en avait vu grimacer quelques-uns de tous leurs crocs. Ceux de l'hindouisme étaient pires !

À cet instant de réflexion et de doute, il regretta de ne pas être calfeutré dans sa cellule perdue sur l'une des hautes montagnes de l'Himalaya. Il se demanda ce qu'il faisait sur ce tapis brodé, dans ces habits de guerrier. Qu'espérait-il de la vie ? Il n'avait pas d'épouse, pas d'enfants. Mais il avait l'amitié de Michel. C'était pour cette raison qu'il se trouvait ici, pour cette raison qu'il ne retournerait jamais au Tibet. Il se savait estimé et aimé par le Français. Et il s'était toujours tenu prêt à sacrifier sa vie au nom de cette amitié.

Il leva les yeux vers la fenêtre flanquée de colonnes torsadés qui se fondaient dans le plafond sculpté, écoutant respirer la pierre. Son instinct s'éveillait. Son regard se fixa soudain sur la porte de cèdre incrustée de motifs nacrés.

Quelqu'un venait.

Il se déplia lentement avec la souplesse d'un chat en prenant soin de ne pas faire tinter la lame de son arme. Le sabre avait sa vie propre ; il s'était gorgé du sang de ses adversaires. Dhama avait la sensation qu'il guidait parfois son bras au plus fort des combats.

– Sois patient, murmura le moine comme s'il s'adressait à un être humain en plaquant la lame contre sa poitrine.

Délicatement, il tourna le bouton de la porte et entrebâilla le battant.

La surprise se peignit sur son visage.

Sajils, accompagnée de Tanika, s'apprêtait à entrer dans la chambre de Michel.

21

Michel s'agitait dans son lit voilé de moustiquaires. Il n'était pas en proie à un cauchemar. Son étincelante Hiral habitait son rêve, et il tentait en vain de la saisir. La belle danseuse était à Tanjore, se promenant dans les jardins suspendus de la Voie des Princes bordée d'arbres centenaires et de buissons fleuris. Il avait beau la poursuivre, elle lui échappait sans cesse. Il comprit qu'elle s'en allait rejoindre Shiva et en éprouva une vive jalousie.

– Hiral, Hiral, appelait-il dans son sommeil.

Il souffrait. Hiral se retourna et lui sourit. La vision de son énigmatique et sensuel visage, de la noirceur ondoyante de sa chevelure, de son corps fait pour la danse sacrée et le Kama-sutra, le hantait. L'image de ses yeux sombres, à la fois empreints de colère et de tendresse, de sa bouche ourlée de satin grenat, de ses mains d'ivoire bruni aux longs doigts déliés, aux ongles peints en rouge, lui arracha des soupirs.

– Hiral... Hiral...

Prononcer son nom lui bouleversait les sens. Hiral, cela sonnait comme l'acier d'une épée frappant un bouclier, se répandait en échos métalliques sur le champ de bataille de son cœur. Ce nom avait été forgé par les dieux d'autrefois. Hiral... il lui rappelait les vagues furieuses qui s'écrasaient sur les grèves de l'océan Indien, le vent sifflant dans les cols d'Afghanistan, le fracas des avalanches. Hiral était tout cela à la fois et il ne pouvait pas espérer la dompter.

Mais elle était aussi douceur et tendresse.

À un moment, il sentit les caresses de la femme qu'il aimait sur son visage en sueur. Hiral était venue ; elle lui soufflait des mots doux à l'oreille. Et il s'abandonna avec l'espoir que le rêve ne s'achèverait pas d'un coup. Ne pas couper le fil. Écouter battre son cœur. Laisser monter le désir.

L'enchantement se rompit brutalement. Il se réveilla en sursaut, le souffle court. Quelqu'un était assis sur le bord du lit. Ce n'était pas Hiral. La fragrance d'un parfum lourd et poivré lui rappela une autre femme.

– Sajils ! s'écria-t-il.

Elle lui adressa un sourire. Les yeux de Michel brillaient ; elle y vit le désir. Toute à son propre désir, elle se trompait. Il y avait beaucoup de façons d'embrasser selon le Kama-sutra ; elle les connaissait toutes. Comme il demeurait immobile, s'enhardissant, elle sauta les étapes, ne choisissant pas le nimittaka, qui consiste à déposer chastement les lèvres sur celles de son partenaire, mais l'avapiditaka. Saisissant le visage de Michel, elle attira vers elle sa bouche avec vigueur et le pénétra de sa langue.

Il avait été pris de court, il la repoussa brutalement et bondit hors du lit.

– Que fais-tu ici ?

C'était une question stupide. Elle n'y répondit pas. Sûre de son pouvoir de séduction, elle s'écarta pour qu'il puisse mieux la contempler et fit sauter les boutons de son choli qui tomba à ses pieds nus. Le pantalon cousu de fils d'or suivit le même chemin.

Tous les muscles de Michel se nouèrent. La chair révélée de Sajils l'attirait malgré lui. Il avait trop rêvé d'étreintes avec Hiral. Il y avait de la ressemblance entre la danseuse et la princesse. Sa verge durcissait. Tous ses sens exacerbés lui commandaient de se jeter sur ce corps lisse et ambré, sur ces seins ronds et fermes, sur ce ventre à peine ombré d'un duvet, de goûter à cette source cachée. Il se fit violence ; il pensa à Hiral, il ne voulait pas trahir leur amour sous le coup d'une passion passagère.

Sajils s'approcha du bord du lit.

– Va-t'en !

– Tu ne m'échapperas pas, répondit-elle en venant se coller à lui. Tu as envie de moi, tu ne peux le nier...

– Non !

Il la repoussa une nouvelle fois, puis encore et encore. Chaque fois, elle revenait vers lui. À deux reprises, elle avait réussi à le toucher entre les jambes. À la troisième, elle parvint à l'empoigner. Michel cessa de résister. Elle était maintenant contre lui et il sentit le souffle de ses mots sur son cou qu'elle couvrait de petits baisers :

– Ma bouche sera bientôt à la place de ma main, et de huit façons je ferai monter le plaisir de ton membre jusqu'à la jouissance.

Hiral les lui avait prodiguées maintes fois. Elles s'achevaient par le sangara, la grande goulée. Mais Hiral était loin et Sajils le tenait à sa merci. Il aurait dû la jeter hors de la chambre ; il aurait dû la traîner par les cheveux jusque chez son père ; il aurait dû quitter ce palais aussitôt après son entrevue avec Kirat.

L'instant n'appartenait plus aux remords. Il la prit par la nuque et l'embrassa longuement, mêlant sa salive à la sienne, liant son esprit au sien. Sajils l'enlaça, se fit liane pour mieux épouser son corps et se frotter à son désir. Ils tombèrent sur le lit, multipliant leurs baisers. Leurs caresses se précisèrent et, au bout d'un moment, Michel fut le premier à fondre sous la langue de la goulue.

Ce n'étaient là que les prémices d'une longue nuit d'amour.

Dhama, caché derrière la porte communiquant avec la chambre de son ami, jura tout bas. Michel venait de mettre leurs existences en danger de mort.

22

Capricieux, puissant, indomptable, le Vayu soufflait depuis le lever du soleil et, sous ses assauts, l'Huître entendait la maison gémir et son propre gémissement. Elle se boucha les oreilles avec les mains. Elle avait l'impression que le vent la cherchait. Le Vayu était la parole et le messager des deva. Il était aussi le serviteur d'Indra et avait le pouvoir de chasser les pestilences et les maladies infectieuses. Contrairement à ses sœurs, belles-sœurs, tantes et cousines qui l'entouraient et priaient, elle croyait qu'il était funeste. La vue des grains des rosaires qui coulaient entre leurs doigts la révulsait. Cela faisait une semaine qu'elles essayaient de la sauver en invoquant les dieux.

Elle ne nourrissait plus d'espoir depuis que

Payod l'avait tirée des griffes de Trois-Yeux et d'Amiya. Elle avait perdu son âme dans les grottes où régnaient les Matrikas, les Dakinis... et Kali la Noire.

– Le Vayu va te guérir, dit l'une de ses tantes.

– Portons-la dehors, elle guérira mieux.

– Non, non, fit l'Huître, qui ne voulait pas être au contact du vent.

On ne l'écouta pas. Les femmes soulevèrent son brancard et l'emportèrent dans la cour où s'alignaient les poteries. Au milieu des tourbillons de poussière soulevés par le Vayu. On remonta le sari sur ses jambes afin d'exposer la plaie boursouflée couverte d'un emplâtre visqueux de plantes broyées mélangées à de la graisse. Ce n'était pas beau à voir. L'inquiétude passa dans les regards. Payod, qui était sorti de l'atelier, leur dit :

– Je vais chercher le brahmane.

Payod et le brahmane étaient sur le chemin du retour quand il fut pris à partie par un forgeron :

– Conduis l'Huître au Gange et noie-la !

Payod se figea, interloqué. Le forgeron s'approcha.

– On ne veut plus de ton épouse à Aunrai.

Elle porte malheur. Il faut que tu la noies, répéta l'homme.

La fureur emporta Payod. Il se jeta sur le forgeron et lui serra le cou.

– Maudit chien ! Mon épouse s'éteindra aux pieds de Vishnou !

Un attroupement se forma. On sépara les deux hommes. Le brahmane essaya de calmer Payod alors que d'autres voix s'élevaient contre l'Huître. Le nom de Kali la Noire était sur toutes les lèvres. Soudain, les planches couvrant le toit d'une masure s'envolèrent et s'abattirent dans la rue en un fracas assourdissant. La peur s'inscrivit dans les regards. Les dieux manifestaient leur colère.

– Partons vite d'ici, dit le prêtre en poussant Payod devant lui.

– Tu entends le vent ? demanda Trois-Yeux.

– Oui, répondit Amiya en reportant son attention vers la fenêtre.

– C'est le Vayu.

– On dit que c'est un bon vent qui chasse la peste et le choléra.

– Et plus encore !

Au-delà de la fenêtre, des traînées poussiéreuses salissaient l'horizon, les champs se creusaient, les oiseaux luttaient, les arbres gémissaient. Le Vayu était peut-être bon mais ce qu'Amiya voyait lui paraissait néfaste.

– Ne te fie pas aux signes, dit Trois-Yeux, qui devinait les pensées de la fillette. Tu l'as dit toi-même : c'est un bon vent. Un bon messager, ajouterai-je. Sais-tu ce qu'il me dit ?

Amiya fit non de la tête.

– Qu'un bûcher sera bientôt dressé.

– Un bûcher ? !

– Celui de l'Huître... C'est étrange, elle ne disparaîtra pas dans le feu.

La stupeur figea les traits d'Amiya. Puis elle demanda, d'une petite voix :

– Elle va mourir ?

– Elle en a encore pour cinq jours. Son temps est compté, tout comme le nôtre.

– Mon temps est compté ? Je vais aussi mourir bientôt ?

La peur gagnait Amiya.

– Mais non ! s'esclaffa la sorcière. Des millions de ghatis s'écouleront avant que tu quittes cette vie...

– Des millions de ghatis !

Amiya était incapable d'évaluer cette durée de temps. Trois-Yeux le comprit et se mit à fouiller dans l'un des tas d'objets hétéroclites qui encombraient la pièce.

– La voilà ! s'écria-t-elle en exhibant une coupe finement ciselée de motifs religieux. Il nous faut une bassine d'eau. Allons dans la cuisine.

La cuisine était pleine de l'odeur des pains que les servantes faisaient cuire sur les plaques. Elles adressèrent un sourire à Amiya, qui était comme une petite sœur pour elles. Puis, intriguées, elles observèrent Trois-Yeux qui remplissait d'eau une bassine.

Amiya s'approcha d'elle, avide d'apprendre.

– Cette coupe est une clepsydre, expliqua la vieille femme. Elle sert à mesurer le temps. Tu vois le petit trou, là au fond...

– Oui, je le vois.

– C'est par là que va se remplir la coupe. Quand elle sera pleine, il se sera écoulé une ghati.

– Ça dure longtemps ?

– Soixante ghatis couvrent un jour et une nuit.

Amiya, hypnotisée par la lente montée du niveau de l'eau dans le récipient, songea à ce qu'avait dit Trois-Yeux : « Des millions de ghatis s'écouleront avant que tu quittes cette vie. »

– J'aurai des cheveux blancs... murmura-t-elle, incapable de s'imaginer ressemblant à la sorcière.

– Et des rides, et mal au dos et aux genoux. Ce n'est pas une raison pour gaspiller ton temps à rêvasser. J'ai organisé le mien afin de me consacrer à ton éducation. Je m'absenterai très peu. Ceux que je soigne et conseille sont peu nombreux mais très riches. La plupart vivent à Bénarès.

– Mais les gens d'Aunrai font appel à toi et ils sont pauvres. Je t'ai toujours vue apporter le réconfort dans le village...

– Ai-je le choix ? Si je ne les soulageais pas de leurs souffrances, ils me chasseraient d'ici, répondit avec amertume Trois-Yeux.

– Et pourquoi ne vas-tu pas vivre à Bénarès ?

– Parce que je tire une grande partie de ma magie de cet endroit. Toi, tu vivras à Bénarès !

– À Bénarès. Ce serait merveilleux...

Bénarès était comme un mirage dans l'esprit d'Amiya. Elle s'imagina, parée en princesse, dansant dans les temples magnifiques, admirée par la foule, aimée des dieux. Combien de ghatis lui faudrait-il avant d'atteindre ce but ? Elle brûlait d'envie de maîtriser les prémices de la bharatanatya, la science de la danse sacrée. Elle aurait voulu commencer immédiatement.

La clepsydre était pleine ; son contenu s'écoula au fond de la bassine.

Une ghati venait de passer. Le temps était compté.

Le prêtre et la famille Madhav, encadrant la malade, entrèrent dans le temple déserté par les fidèles. Avaient-ils précipité leur départ en apprenant l'arrivée de l'Huître ?

Il y avait des offrandes de nourriture et de fleurs sur l'autel de Vishnou, devant lequel on déposa le brancard de l'Huître. Les Madhav en ajoutèrent d'autres tandis que le prêtre entamait une prière. Payod et les siens l'imitèrent, accomplissant les gestes répétitifs et immuables, les mantras sacrés chers aux dieux. Ils communiaient avec Vishnou.

Pas l'Huître. Elle restait muette, le regard dardé sur Vishnou. Le dieu enveloppé de fumées d'encens lui paraissait irréel. Il était celui qui retarde la destruction de la création, mais elle ne ressentait pas son énergie bienfaitrice. Pourtant, tous les attributs de la puissance divine étaient bien en place : le pectoral représentant les âmes, la touffe de poils sur la poitrine, la massue symbole de l'intelligence, la conque marine pleine des cinq éléments, l'arc montrant l'existence de l'illusion, le glaive pour trancher les liens de l'ignorance, le disque solaire de la pensée, les flèches associées aux sens et la guirlande. L'utilisation de ces accessoires dépassait l'entendement de l'Huître. Elle se détourna de ce dieu inerte.

Les prières parvenaient bien aux oreilles de Vishnou, mais elles ne l'attendrissaient pas. Il n'aiderait pas la femme étendue à ses pieds ; elle n'était pas digne de vivre.

23

Dhama n'avait pas écouté jusqu'à la fin les ébats de Michel et de la princesse. Ces bruyantes effusions l'avaient mis dans une colère noire et il avait préféré quitter la pièce jouxtant la chambre où les amants se livraient de furieux assauts. Malgré son courroux et son indignation, il avait fini par s'endormir au fond du long couloir.

Une ombre passa près du moine, couché sur le côté. Dhama avait l'instinct de survie, une sorte de sens supplémentaire qui l'avertissait du danger, même au plus profond de son sommeil. Il battit des paupières, retint sa respiration et vit la silhouette disparaître comme par enchantement à quelques pas de lui. Bondissant sur ses pieds, le sabre à la main, il se précipita sans bruit vers l'endroit où l'inconnu s'était volatilisé et se retrouva devant un mur sculpté.

Rien, il n'y avait rien. Pas de porte. Il n'avait cependant pas rêvé. Son nez décela une légère odeur de transpiration. Quelqu'un était bien venu jusqu'ici. Le mur cachait donc un passage secret ; le palais en était truffé, comme tous les édifices de ce genre. Il tâta les sculptures, ne parvint pas à trouver le mécanisme d'ouverture.

Un bruit attira son attention ; il retourna sur ses pas jusqu'au tournant du couloir. La princesse quittait la chambre de Michel. Il la regarda s'éloigner, puis disparaître à son tour mystérieusement.

Dhama aurait voulu effacer tout aussi facilement les heures qui venaient de s'écouler. La journée qui pointait dans l'aube blafarde s'annonçait difficile. Michel était tombé dans le piège mortel tendu par Sajils.

Le bibliothécaire de Sa Majesté s'était présenté à Michel un peu avant onze heures, invitant ce dernier à le suivre : « Le raja vous attend à la bibliothèque », avait-il dit. Un frisson avait parcouru l'échine de Michel. Le raja savait-il déjà, pour lui et Sajils ? Il était trop tard pour éprouver du remords. Il ne revêtit pas les vêtements mis à sa disposition, mais ses habits de voyage. Quand il retrouva Dhama, le moine le couvrit d'un regard accusateur.

– Ne dis rien, je t'en prie, lui murmura Michel.

– Tu es un imbécile, c'est tout ce que j'ai à dire, grommela le moine en français.

Dans le palais, tout paraissait normal. Une troupe de serviteurs traquait les poussières et les souris, les gardes armés de lances étaient à leurs postes, impavides. Personne ne se souciait du Français et du Tibétain escortés d'un fonctionnaire. L'appel du muezzin laissa indifférents les hommes et les femmes vaquant à leurs occupations quotidiennes ; tous étaient de confession hindouiste.

En entendant l'appel à la prière, le moine ne put s'empêcher de parler :

– Nous ferions mieux de nous rendre dans une mosquée. Nous y serions plus en sécurité.

– Je l'admets, j'ai perdu la tête, mais ce n'est pas une raison pour s'alarmer. Je n'ai pas l'intention de clamer haut et fort mon aventure. Il n'y aura pas de suite.

– Inconscient que tu es ! Il y a des yeux et des oreilles partout dans ce palais. J'ai aperçu quelqu'un près de ta chambre pendant que tu te prenais pour Krishna !

Le regard de Michel s'agrandit de stupeur. Le moine ne poursuivit pas. Ils étaient arrivés. La porte de la bibliothèque était grande ouverte. Kirat les attendait dans ses habits de soie cousus d'or, étincelants de pierres précieuses, la tête surmontée d'un turban blanc orné de broches et de plumes. Il était assis dans un imposant fauteuil et étudiait une carte de l'Inde étalée sur son bureau. Tout autour de lui, dans des bibliothèques de quatre mètres de haut, des centaines de manuscrits et de livres rares contenaient tout le savoir et l'histoire du continent. Des tableaux peints par des maîtres européens montraient ses ancêtres en habits militaires dans des poses avantageuses. Alentour, des copistes et des préposés aux livres travaillaient en silence, penchés sur de longues tables. Pas un ne broncha quand Michel et le moine entrèrent.

Le raja tarda à lever la tête. Il avait à sa gauche, posée sur un guéridon, une statuette de bronze aux formes généreuses. Il s'agissait de Shri Devi, la déesse de la prospérité et de la fortune. Il la caressa et, abandonnant l'étude de la carte, se mit à parler en regardant enfin Michel :

– On dit chez toi que la fortune sourit aux audacieux.

– C'est exact, Majesté.

– Tu es très audacieux... Ton audace va même jusqu'à conquérir ma fille bien-aimée.

Dhama devint blanc. Michel se contracta comme s'il allait se battre.

– Que veux-tu dire par là ? demanda-t-il en s'efforçant de paraître naturel.

– Que toi et Sajils, vous avez passé la nuit ensemble.

– C'est faux !

– J'admire ton aplomb. Hélas, tu as été vu.

Kirat prit un petit marteau de cuivre sur son bureau et en frappa un gong. Dans la minute qui suivit, l'inquiétant chef de la garde, le commandant dravidien Bikram, se présenta aux ordres du raja.

– Seigneur, je suis à tes ordres.

– Raconte sans détour ce que tu as vu cette nuit.

Le regard de Bikram s'amenuisa, distillant la haine qu'il éprouvait pour le Français. Sa voix sèche et nasillarde s'éleva :

– Cet homme qui se dit ton ami a profité de sa position pour séduire ta fille. Il a pratiqué sur elle les plus abjectes des caresses après l'avoir pénétrée. Oui, il a abusé d'elle, je l'ai vu de mes propres yeux à travers les fentes de l'observatoire secret aménagé dans sa chambre.

Michel se rappela les paroles de Dhama : « Il y a des yeux et des oreilles partout dans ce palais... » Comment avait-il pu se montrer aussi naïf ? Il ne pouvait plus nier l'évidence.

– Je l'avoue... Je ne savais pas que tu me faisais espionner, dit-il au raja. Je regrette ce qui s'est passé cette nuit. À aucun moment, sache-le, je n'ai voulu séduire ta fille. Tu es en droit de me punir.

– Hum, fit Kirat en sombrant dans ses pensées un moment.

Quand il reporta à nouveau son regard sur Michel, ce fut pour dire, d'une voix émue :

– Sajils est libre, c'est une veuve. Je n'ai pas voulu qu'elle soit brûlée avec son mari quand ce dernier est mort car elle m'a donné un héritier et je me réjouis de la voir aujourd'hui si vivante dans sa chair de femme. Si je m'en tenais à la loi, je l'obligerais à se raser la tête, à renoncer à ses droits familiaux et sociaux, à ses bijoux, au maquillage, aux distractions et aux réunions amicales, je la rabaisserais plus bas que la plus humble de mes servantes... Oui, je m'en tiendrais à la loi si je n'étais pas un père aimant.

Il se tut à nouveau pendant quelques instants. Il avait le regard humide. Sa voix claqua soudain :

– Qu'on aille chercher ma fille !

Indéniablement, le raja Kirat aimait sa fille. Dès que Sajils apparut, sa physionomie changea. La sévérité de ses traits disparut. Il la contempla avec bienveillance et admiration. Il n'était pas le seul à admirer l'Ornée. Bikram n'arrivait pas à masquer son attirance pour la jeune veuve. Cela n'échappa pas à Dhama. Le regard de l'officier dravidien brillait de convoitise. À l'évidence, il donnerait sa vie pour elle si l'occasion s'en présentait.

La princesse se tenait dignement devant son père ; elle était vêtue d'un sari bleu foncé sans ornement. Sa tête était couverte d'un voile de même couleur. Elle ne portait pas de bijou. Aucun maquillage n'embellissait la perfection de son visage.

Elle dominait cependant tous les hommes présents. Même Michel était impressionné par son calme orgueilleux. Elle ne laissa pas le temps à son père de s'exprimer :

– Je devine qu'on vient de te raconter ce qui s'est passé cette nuit, entre moi et Michel.

Elle lança un regard méprisant à Bikram.

– Oui, une édifiante variante du Kama-sutra en vérité, ironisa Kirat.

– Ton ami Michel n'a rien à se reprocher. C'est volontairement que je me suis rendue dans sa chambre.

– Pourquoi as-tu fait cela ?

– Parce que je l'aime depuis la première fois que je l'ai vu ! Et c'était bien avant mon mariage, répondit-elle sans honte.

Une telle réponse venant d'une fille était une injure, une attitude contraire à la pensée védique, en rupture totale avec les lois des castes supérieures. En Inde, il n'était pas question d'aimer ou de formuler ses sentiments en dehors du mariage. Quelques courtisanes, les danseuses sacrées en l'occurrence, pouvaient se permettre d'aimer en toute liberté, mais elles n'appartenaient à aucune caste.

– Ah ! fit le raja.

Il s'attendait à cette repartie de la part de sa fille rebelle. Elle lui facilitait la tâche. Et il ne se souciait pas de savoir si son ami Michel éprouvait de l'amour pour Sajils. Son choix était fait.

– Qu'on fasse venir mon astrologue, commanda-t-il.

24

L'astrologue à la fine moustache blanche avait le dos voûté. Il accusait ses quatre-vingts ans. Il se redressa comme un jeune homme quand le raja lui dit :

– Tu vas dresser les horoscopes de ma fille et de mon ami Michel et déterminer les jours où ils seront en parfaite harmonie.

– Dans quel but, votre majesté ? demanda l'astrologue d'une voix chevrotante.

– Afin de définir la meilleure date pour leur mariage.

L'annonce fit l'effet d'un coup de canon dans la bibliothèque. Tous les regards convergèrent vers le raja. Michel était furieux. Il ne put se contenir plus longtemps :

– As-tu perdu la raison ? s'exclama-t-il en faisant un pas vers Kirat.

Aussitôt, Bikram et les gardes s'interposèrent.

Kirat les apaisa d'un geste. Il ne se départit pas de son calme.

– Je vais te prendre pour gendre, comme d'autres seigneurs dans le pays qui ont uni leurs filles à des Anglais, des Hollandais et des Portugais.

– Mon cœur est déjà lié ! Je vis avec une femme à Tanjore et je lui suis fidèle.

– Nous connaissons ta situation, et elle est toute à ton honneur. Hiral l'Étincelante est une femme exceptionnelle. Sa renommée est aussi grande dans le domaine du bien que l'est celle de la rani Jundan dans celui du mal.

À l'évocation de la reine régente du Pendjab, un frémissement parcourut l'assistance. La terrifiante souveraine des sikhs avait un goût prononcé pour les complots, les crimes et la torture. Michel connaissait personnellement la rani, à qui il livrait des armes et des munitions ; cependant, contrairement à beaucoup d'Européens et d'Américains, il avait toujours refusé de devenir l'un des instructeurs de l'armée sikhe.

– Je t'envie, ami Michel, poursuivit Kirat. Mais je me dois de remettre en question ta liaison. L'Étincelante est une danseuse. Au regard de nos lois, elle ne compte pas... Et tu n'es pas une réincarnation de Shiva, que je sache, ironisa-t-il avant d'ajouter, sur un ton ferme : Tu ne peux pas refuser la main de ma fille.

Une voix gênée s'éleva :

– Pardonne-moi, puissant raja...

Kirat se tourna vers Bikram. L'officier dravidien avait osé intervenir. Kirat jugula sa colère et l'invita à poursuivre :

– Parle, Bikram.

– Tu ne peux pas donner ta fille à cet homme qui n'est pas de ton rang. Un mariage pratiloma lui retirerait tous ses titres et le droit d'appartenir à ta caste.

Bikram avait réussi à lâcher ses arguments sans bafouiller. Le raja le considéra d'un air navré.

– Mon pauvre Bikram, tu n'es même pas marié et tu connais bien mal les lois traditionnelles du Manavadharma-shastra, persifla Kirat. Il est vrai que le pratiloma concerne l'alliance d'une femme de haut rang avec un homme de caste inférieure, ce qui entraîne de fait la rétrogradation sociale de l'épousée. Comme tu le sais, mon ami Michel Casenove est français, il n'appartient à aucune caste de l'Inde. J'ai le droit de faire un « don » à un homme tel que lui pour l'honorer et l'élever...

C'en était trop. Michel s'avança vers le raja, les poings serrés.

– Je n'ai nul besoin d'être honoré de la sorte !

– Alors, tu mourras !

Dhama rentra sa tête dans ses épaules comme s'il voulait éviter la hache du bourreau que son imagination évoquait. Michel allait les faire tuer, tous les deux.

– Père ! s'écria Sajils.

Tous les regards convergèrent vers l'Ornée, qui s'était redressée et s'adressa au souverain sans trembler :

– Tu ne toucheras pas à un seul cheveu de notre ami !

– Cet homme nous offense... commença le raja, un peu désorienté par le ton agressif de sa fille.

Personne ne lui parlait jamais ainsi.

– Laisse-lui le temps de réfléchir, dit Sajils en adoucissant sa voix.

Kirat évitait toute querelle avec sa fille adorée. Il ne lui avait jamais rien refusé. Sajils poursuivit :

– Michel est un homme d'honneur et de bon sens. Nos dieux l'aiment et le protègent.

Je te le demande encore : accorde-lui du temps.

– Soit ! Je lui accorde ce temps. Nous l'attendrons ici le dernier jour de la fête de Ganesha. En attendant, il est libre d'aller et de venir où bon lui semble ; mais qu'il sache qu'il ne pourra se cacher nulle part s'il ne revient pas au jour dit... Ami Michel, où que tu ailles, nous te retrouverons. Pas un coin de ta douce France, pas un désert, pas une jungle, pas une montagne de ce monde n'échappera à ceux que je lancerai à tes trousses. Pas même Shiva qui vous protège, toi et ta danseuse, n'arrêtera les bras vengeurs. Ta vie est en jeu, mon ami, celle de tes amis aussi.

Michel était pâle comme un mort. Il pensait à Hiral, à la vie de Hiral, à leur amour. Il s'inclina devant le raja et, ignorant Sajils, fit demi-tour. Dhama s'inclina également avant d'emboîter le pas de son chef.

– Tu ne pourras pas échapper à ce mariage, lâcha Dhama quand ils quittèrent le palais.

– Je ne me plierai pas aux exigences de ce petit roitelet !

– Tu ne vivras pas. Et nous non plus ! Et peut-être même avant la fin des fêtes de Ganesha. Tu t'es fait un ennemi mortel.

– Je sais... Bikram... je l’ai senti.

– Bikram, ce pauvre fou, est amoureux de Sajils, cela saute aux yeux. Il ne te laissera pas sortir vivant du royaume. Et sans nos hommes, nous n’avons aucune chance de nous échapper, dit le moine en pensant à la redoutable troupe de mercenaires et amis qu’ils ne retrouveraient pas avant de longs mois.

– Rendons-nous chez le sultan d’Hyderabad. Il nous fournira une escorte. C’est lui aussi un ami, ajouta Michel en soufflant de dépit.

Le moine ne fit aucune objection. C’était la meilleure solution. Le monde était plein d’amis dangereux. Alors pourquoi ne pas profiter d’eux ?

25

L'orage avait duré toute la nuit. Pourtant, ce n'était pas la période la mousson. Des menaces sourdaient dans le ciel, les dieux n'étaient pas apaisés. À Aunrai, des événements troublants se succédaient, inclinant les habitants à croire en une malédiction qui, heureusement, allait être bientôt levée.

Il n'y avait plus que quelques heures à attendre.

Au matin, comme pour répondre aux souhaits des uns et des autres, le soleil tenta une percée entre les nuages à la traîne et les brumes stagnantes. Au sud du village, le Gange, gonflé par les pluies diluviennes de la nuit, roulait ses vagues gris rosé. Sur ses rives s'échouaient des arbres arrachés aux collines de l'Ouest, des cadavres jetés en amont, toutes sortes de détritus que les charognards ailés, les chacals et les chiens jaunes s'empressaient de trier et de dévorer.

La famille Madhav se dirigeait vers le fleuve sacré en fendant la ouate exhalée par la terre. Les Madhav n'étaient pas seuls. Trois autres clans de leur caste les accompagnaient, une cinquantaine de personnes en tout. Ils avaient l'air de fantômes.

Payod et son frère cadet portaient le brancard sur lequel reposait la dépouille de l'Huître drapée d'un linceul orange. On ne priait pas, on ne chantait pas, on ne s'adressait même pas en silence aux dieux. Sur les chemins incertains s'entrecroisant, des gens apparaissaient, disparaissaient, indifférents aux malheurs des Madhav.

Ils parvinrent sur la berge où se consumaient les éternels bûchers.

– Ils arrivent, chuchota Trois-Yeux.

Amiya se redressa avec une commotion au cœur. Son œil se fixa sur le linceul orange. Cette parure de deuil n'accompagnerait pas la morte sur les eaux ; elle n'y avait pas droit. Payod la lui retira, puis avec l'aide de son frère il déposa le cadavre nu dans les vaguelettes agitant les roseaux. Ils le poussèrent avec des bâtons.

Amiya serra les dents. Une émotion mêlée de peur l'habitait. L'Huître était désormais condamnée à errer sans pouvoir se réincarner ; elle reviendrait sous la forme d'un spectre. Amiya espéra alors que le Gange emporterait le cadavre très loin vers le sud, plus loin que la légendaire Calcutta, vers la mer infinie, dans un endroit d'où l'Huître ne pourrait jamais revenir.

La morte tournoya en atteignant les courants, sa face blême tournée vers le ciel. Elle prit de la vitesse. Vers le milieu du fleuve, elle se cogna à un tronc, puis à un buffle aux quatre pattes en l'air, avant de rencontrer un autre cadavre.

Ce couple ne fut plus qu'un point. Puis il n'y eut plus rien que le fleuve, où la vie reprenait, avec ses barques de pêcheurs et de voyageurs.

26

Ils avaient franchi la porte d'une autre civilisation. Ils n'étaient plus dans l'Inde de Brahma, de Vishnou et de Shiva, dans l'Inde des déesses nourricières et guerrières. Ici l'air imprégné d'odeurs de rose et de jasmin circulait dans des espaces sans statues, sans fresques, sans autels. Un seul dieu régnait dans cet endroit, invisible et omnipotent : Allah.

Michel et Dhama marchaient au côté d'un émir savant et lettré qui les guidait à travers le palais magique du sultan Naser ad-Dowla Harkhunda Ali Asaf Sah IV. On était vendredi et Sa Majesté recevait les danseuses vierges entre deux appels à la prière.

Ali Asaf Sah IV était le véritable maître d'Hyderabad, bien que la communauté musulmane y fût minoritaire. Il représentait le poste avancé d'un islam en reflux. Il était loin, le temps de la conquête arabe. Tout au long des siècles d'occupation, les imams et les mollahs avaient essayé d'imposer leur religion. Aujourd'hui, l'islam conservait sa puissance dans le nord-ouest de l'Inde et au Pakistan. Partout ailleurs, il régressait.

Le décor, tout en arabesques, fait d'un élégant mélange de céramiques bleues, vertes, jaunes et rouges, enrichi de calligraphies évoquant le surnaturel, les fascinait à chacune de leurs visites. Ils marquèrent le pas devant une ouverture pratiquée dans un marbre blanc au-dessus duquel trois lettres arabes de la grandeur d'un homme entrelaçaient leurs lignes droites et leurs courbes.

L'émir Omar suivit leurs regards et dit solennellement :

– Ces trois lettres, ALR, sont incluses dans la onzième sourate, l'Hûd du Coran : « Alif, Lam, Ra. C'est un Livre dont les versets sont parfaits en style et en sens, émanant d'un Sage, parfaitement Connaisseur. N'adorez qu'Allah. Moi, je suis pour vous, de Sa part, un avertisseur et un annonciateur. Demandez pardon à votre Seigneur ; ensuite, revenez à Lui. Il vous accordera une belle jouissance jusqu'à un terme fixé, et Il accordera à chaque méritant l'honneur qu'il mérite. Mais si vous tournez le dos, je crains alors pour vous le châtiment d'un grand jour. C'est à Allah que sera votre retour ; et Il est Omnipotent. »

L'émir se tut, laissant songeurs Michel et Dhama. Ils avaient eu l'impression qu'il s'était adressé directement à eux en récitant les paroles sacrées du Coran. Les mots résonnaient comme un avertissement dans leurs têtes. L'émir eut un sourire et les invita à poursuivre leur chemin jusqu'à la salle royale.

On aurait pu croire que le maître de ce palais plein des paroles d'Allah était un fervent et rigoureux défenseur de la foi musulmane, qu'il la faisait appliquer de la manière forte par une cohorte de fanatiques et que chaque jour des têtes fraîchement tranchées d'hérétiques et d'hétérodoxes étaient exposées sur les remparts pour raffermir la foi du peuple. Il n'en était rien.

Ali Asaf Sah IV appartenait à cette catégorie de croyants qui se souciaient peu des interdits religieux. Durant des siècles ses descendants avaient vécu au contact des hindous, des jaïns, des sikhs, des bouddhistes...

de tant de formes de cultures et de pensées que leur façon de vivre s'en était trouvée altérée. Ali Asaf Sah IV n'avait plus rien de commun avec les farouches guerriers des déserts arabiques et persans, ses ancêtres, qui en des temps légendaires et glorieux avaient soumis l'Afrique, l'Europe, et renvoyé les Chinois derrière l'Himalaya.

Le sultan aimait la vie terrestre. Gourmand de tout, esthète, ouvert aux idées du capitalisme naissant, il instituait des règles de conduite qui faisaient frémir d'horreur les docteurs de la foi. Ceux-là espéraient vainement le conduire à La Mecque et l'obliger à demander pardon à Dieu. Cet espoir s'amenuisait de jour en jour.

Grand, bien bâti, les traits virils, l'intelligence avivant son regard noisette, le sultan était allongé sur une confortable banquette surmontée d'un dais d'or. D'autres banquettes et des fauteuils bas recevaient ses amis, ses ministres et hauts fonctionnaires, ses quatre épouses et trois de ses concubines favorites, car il n'était pas homme à maintenir prisonnières les femmes de son harem.

Tous ces privilégiés savouraient les évolutions des cent neuf danseuses habillées de plusieurs épaisseurs de voiles transparents. Il n'y avait pas d'étiquette. Dès que l'émir, Michel et Dhama apparurent, Ali Asaf Sah IV quitta la banquette et les rejoignit d'un pas enjoué. Ils se saluèrent sans ostentation.

– Michel et son moine ! Bienvenue chez moi. Ah, je suis heureux de te voir, sir Michel.

Le *sir* était de trop, mais le sultan en donnait à toute personne qu'il jugeait importante, du moment qu'elle appartenait à la race blanche et à la religion chrétienne. Il prit le Français par le bras et l'entraîna vers le divan en passant à travers les cercles des danseuses qui continuaient à onduler aux sons aigres des flûtes, des zézayantes gammes des violes, et aux coups sourds des tambours. Dhama suivit l'émir jusqu'à un canapé situé au deuxième rang des courtisans. Il ruminait tout bas ses pensées en exhortant mentalement son ami à ne pas les mettre dans une situation difficile.

Ali Asaf Sah IV tenait Michel et les Français en général en haute estime. Leur connaissance du monde arabe et leur volonté de s'implanter en Afrique et en Asie du Sud-Est avaient facilité les relations commerciales avec le sultanat et la généralisation de méthodes rationnelles visant à améliorer les structures agricoles. Au début de la décennie,

Michel Casenove avait été l'un des principaux instigateurs de ce renouveau, favorisant l'installation d'ingénieurs et de médecins humanistes dans les provinces moyenâgeuses de l'Inde. Il y avait sûrement là une volonté non avouée de s'opposer aux Anglais, ennemis héréditaires des Français.

Le libéralisme et l'esprit ouvert du sultan étonnèrent une fois de plus Michel. Le souverain aimait partager ses plaisirs entre amis. Bien sûr, il interdisait à quiconque de pénétrer dans le harem, tout en autorisant ses femmes à en sortir.

Cet homme était un paradoxe.

Tout en contemplant les danseuses d'un œil intéressé, Ali Asaf Sah IV dit tout bas :

– J'ai appris que mon pair le raja Kirat s'était proposé de devenir ton beau-père...

Ce n'était pas une question. Michel réprima un tic nerveux.

– Les nouvelles vont vite... J'ai quitté son palais il n'y a pas trois heures...

– Elles vont aussi vite que les rumeurs du bazar.

– Tu as donc des informateurs chez le raja ?

– Qui sait ?... J'ai moi-même six filles à marier. Je pourrais te faire la même proposition, si tu te convertissais à l'islam.

– Ce serait offenser Kirat. Le provoquer ne servirait à rien, mon sultan. Vous ne feriez que renforcer la politique anglaise si une guerre éclatait entre vous et les hindous.

– Tu as raison. Je dois donc en déduire que tu vas prendre Sajils pour épouse ?

– Non, une femme occupe déjà mon cœur.

– Ton problème est insoluble. Kirat te fera tuer. Je ne comprends pas pourquoi vous, les Occidentaux, tenez à n'avoir qu'une femme. Le cœur est vaste, il peut contenir plusieurs amours.

– Il est déjà difficile de contenter une seule femme... répondit Michel d'un air songeur.

Le sultan se mit à rire.

– Il existe des moyens pour pallier les déficiences de l'amour, fit-il en appelant de la main un homme vêtu d'un caftan noir sur lequel s'enroulaient deux serpents rouges. Mon médecin, Youssef le Clairvoyant, précisa-t-il.

L'ascétique personnage à la barbe en pointe lustrée s'inclina devant Michel avant de demander au sultan :

– Que puis-je pour toi, vénéré commandeur ?

– Apporte-nous les médicaments qui rendent l'homme plus fort que le taureau et plus résistant que le bois de fer.

Aussitôt, le médecin s'éclipsa.

Quand il revint, les danseuses s'en allaient une par une après avoir fait une gracieuse révérence. À leur tour, ministres et courtisans se retirèrent. Seuls demeurèrent deux colosses, chargés d'assurer la protection du maître des lieux, l'émir et Dhama. Des rossignols troublaient par leurs trilles l'immense salle de marbre où les volutes d'or et les calligraphies sacrées se disputaient l'espace.

Ali Asaf s'adressa à nouveau à Michel :

– Allah est juste. Il a fait l'homme supérieur à la femme. Et nous, mon ami, sommes là pour prouver cette supériorité. Qu'Allah ferme donc les yeux sur nos péchés de chair. Nous suivrons son chemin en temps voulu.

Le médecin avait posé trois sachets et une fiole sur une table basse incrustée d'ivoire.

– L'art de la médecine, poursuivit le sultan, peut rendre viril un homme toute une nuit. Dix femmes initiées au Kama-sutra ne suffiraient pas à l'affaiblir.

Il désigna les quatre objets, les prit un à un comme pour éprouver leur consistance et leurs pouvoirs, avant de se lancer dans des explications.

Le premier contenait une grosse boule de mallé mélangée à de l'écorce d'ulmaire réduite en poudre. Le deuxième mariait l'hysope, la camphrée d'Occident et la cristemarine. Le troisième contenait une substance élaborée à partir du pyrithène d'Afrique, que les Grecs d'Izmir avaient implanté dans le sud de la Turquie et en Syrie. Cette substance à la saveur piquante se répandait en feu dans le corps de celui qui l'avalait. Restait la fiole au verre opaque blanc, pleine d'un sirop d'œillet superbus et d'une décoction secrète que le docteur avait obtenue d'un savant chinois exilé à Hyderabad.

Ces quatre médicaments dosés avec précision devaient être pris une heure avant de se rendre au harem.

– Ils sont pour toi, ami Michel. Ce soir, je t'enverrai cinq des meilleures courtisanes de la ville et tes talents égaleront ceux de Krishna.

– Je te remercie, Ali Asaf, mais je ne prendrai pas ces drogues. Ce soir, nous quitterons la ville. Je te demande simplement une escorte pour m'accompagner jusqu'à la frontière.

– Accordé... Je te donnerai aussi deux chevaux rapides et je prierai pour toi... Émir Omar, commanda-t-il, désigne les meilleurs de tes hommes et tenez-vous prêts à partir après la dernière prière quand la nuit recouvrira la forteresse de ses voiles.

– Béni soit ton nom, Ali Asaf Sah IV, dit Michel.

– Que la main du Miséricordieux soit sur toi. Allah aime les justes.

Les muezzins de blanc vêtus, pareils à des anges penchés sur les âmes pieuses, avaient lancé leurs appels du haut des minarets. Au son de leurs impératives et mélodieuses voix, les fidèles s'étaient prosternés en direction de La Mecque. La ville résonnait encore des prières quand la troupe quitta le palais par une porte dérobée. Sur une file, Michel, Dhama, Omar et les vingt cavaliers d'élite s'enfoncèrent dans les étroites ruelles rendues à la vie nocturne. Les tapis de prière avaient été respectueusement roulés ; les échoppes rouvertes accueillaient à nouveau les clients, et les hindous se mêlaient à nouveau aux musulmans. Il n'y avait aucune animosité entre les différentes ethnies ; les seuls regards de mépris s'adressaient aux intouchables pliés sous les sacs d'immondices qu'ils transportaient sur leur dos. Une vache remontait la ruelle, maigre et majestueuse sous les toits de toile. La troupe s'en écarta, comme tous les musulmans alentour. Omar jeta des regards de tous côtés. Il ne décela pas de danger. Allah était avec eux. Il les protégerait au moins jusqu'à la frontière.

Dhama ne se contenta pas d'observer. Il entra en lui, dans le vide où se déversaient les ondes subtiles de l'univers.

Et écouta...

La mort était à leurs trousses.

27

Quatre jours s'étaient écoulés depuis le départ de Trois-Yeux pour sa tournée mensuelle. La sorcière était demandée partout. Son territoire couvrait une vaste étendue délimitée par les rivières Gomati au nord et Tons au sud et les villes d'Allahabad à l'ouest et Bénarès à l'est. Plusieurs jours de marche étaient nécessaires pour se rendre de l'une de ces extrémités à l'autre. Trois-Yeux, lors de ces tournées, récoltait de très grosses sommes d'argent en vendant ses philtres, ses remèdes, ses poisons, et en lançant des sorts, en invoquant les morts et les démons.

Deux jours séparaient encore Amiya de la sorcière, qui avait promis de revenir à la pleine lune. Amiya ne se plaignait pas de cette absence ; elle s'amusait beaucoup avec les servantes. Le temps où elle vivait à Aunrai semblait appartenir à une vie antérieure ; l'Huître n'était plus qu'un souvenir affleurant parfois dans son sommeil.

En fait, le temps passait très vite. Elle avait de nombreuses tâches à accomplir. Avant tout, perfectionner sa danse.

Amiya se plaça devant la statuette que lui avait offerte la sorcière.

– Déesse Saravasti, prononça-t-elle d'une voix pleine d'émotion, Toi qui dispenses toute chose et as une forme charmante. Salut à Toi. Je commence mes études, puisse le succès m'accompagner toujours.

Ces mots n'avaient qu'une valeur symbolique car Amiya n'avait pas de véritable maître, de gourou investi par Shiva. Trois-Yeux, malgré sa propre expérience et ses excellentes capacités de pédagogue, ne pouvait prétendre à ce titre. Elle avait pourtant offert l'angostram à sa petite protégée, le morceau de tissu de coton blanc indispensable à toutes les apprenties danseuses.

Après avoir salué la déesse, Amiya prit le tissu posé sur sa natte et le noua fortement autour de sa taille. L'angostram jouait un rôle important. Il permettait de garder une bonne posture et protégeait l'abdomen. Il aidait aussi à maintenir la taille fine.

Elle était prête. Elle évoqua mentalement le bâton qui rythmait habituellement ses mouvements et le carré de bois sur lequel il frappait. Enfin, elle cria :

– *Thai yaa thai yee !*

Ces sons correspondaient au premier adavu et elle exécuta les pas simples de la danse. Quand elle arriva au terme de cet exercice, elle recommença... et recommença encore, jusqu'à l'ivresse. Lorsqu'elle tituba, épuisée, elle eut la certitude qu'elle deviendrait une grande danseuse.

Trois-Yeux était revenue avec beaucoup d'argent. Des centaines de roupies, des monnaies d'or étrangères, des pierres précieuses brutes qu'elle avait étalées sous le regard émerveillé d'Amiya.

Comment avait-elle fait pour gagner cette fortune ?

Amiya n'en sut rien. Elle oublia de la harceler de questions quand la sorcière lui offrit un sari de prix en disant :

– Tu le porteras quand nous serons à Bénarès.

– À Bénarès ! Nous partons à Bénarès ? !

– Tu le sais bien, petite cervelle ; je t'avais dit que nous irions là-bas pendant les fêtes de Ganesha.

Trois-Yeux avait loué un chariot à deux roues tiré par un bœuf. Un paysan menait l'équipage. Torse nu, les côtes saillantes, les jambes grêles, il marchait à l'avant, menant la bête placide à l'aide d'une corde. La poussière soulevée par le piétinement de milliers de pèlerins, les convois et les caravanes ombrait le paysage. Des toux, des éternuements, des plaintes et des rires, des bêlements, des grognements et mugissements s'élevaient de cette masse compacte et indisciplinée jetée sur la grande route de la ville sainte. À chaque croisée, d'autres hordes humaines et animales venaient grossir les rangs de cette armée qui longeait le Gange.

Amiya contemplait le ruban limoneux survolé par des oiseaux et sillonné de bateaux. À un moment, il ne fut plus possible d'avancer. Les faubourgs de la ville étaient en vue, des maisons bancales, des cabanes, des huttes s'entassaient sur les détritus. Les plus pauvres habitaient en marge des lieux saints, espérant ainsi recueillir les bienfaisantes émanations des mille cinq cents temples et palais de la légendaire cité.

– Mère vénérable, dit le paysan en s'adressant craintivement à Trois-Yeux, nous n'arriverons pas au centre avant la tombée de la nuit.

Trois-Yeux évalua la situation. Il n'était pas question d'attendre le crépuscule et les voleurs qui l'accompagnaient.

– Nous continuerons à pied, répondit-elle en saisissant son balluchon. Tu nous attendras dans trois jours devant les portes du temple d'Or. Tu as compris ?

– Oui, vénérable mère.

Combien d'âmes contenait la fabuleuse capitale des dieux ? Cinq cent mille, un million ? Pour plus des trois quarts, des pèlerins de toutes confessions. La ferveur mystique se lisait dans les regards fatigués de tous ces êtres attirés comme des insectes par les lumières des temples.

Amiya ne tarda pas à partager cette ferveur ; elle ressentit la joie collective, le bonheur indescriptible, un transport de tous les atomes à l'approche des gaths, les grands escaliers descendant vers le fleuve. Plusieurs membres de sa famille, ses parents, Payod et d'autres, avaient fait le pèlerinage, marché dans ces rues imprégnées de divin, jusqu'aux eaux sacrées du Gange, en caressant l'espoir d'y mourir afin de renaître sous des auspices meilleurs.

Amiya ne pensa pas à la mort car, faisant confiance aux prémonitions de Trois-Yeux, elle pensait vivre encore longtemps. Ce n'était pas son heure... mais, inconsciemment, elle craignait les événements à venir de son existence.

– Mon cousin, Chancha Karubur, n'habite plus très loin. J'espère qu'il a reçu mon message annonçant notre venue, dit Trois-Yeux, qui avait confié un parchemin à un négociant en laine de passage à Aunrai, quelque temps auparavant.

Amiya était curieuse de rencontrer cet homme ; elle avait toujours pensé que la sorcière n'avait pas de parents. Pendant le voyage, Trois-Yeux lui avait parlé de ce cousin, marchand de cuir, qui était un disciple de Rudra le Grondeur, seigneur des larmes, dieu de la tempête et maître des animaux.

Amiya s'attendait à voir une simple boutique accolée à d'autres comme toutes celles donnant sur les ruelles tortueuses de la ville. Le magasin de Chancha, le Sans-Repos, n'était pas une pièce de cinq pas sur cinq, mais un gigantesque entrepôt s'ouvrant sur la place pavée de la mosquée d'Alamgir, où stationnaient des caravanes de chameaux et de mulets, des escouades de cavaliers persans, afghans, népalais, mercenaires à la solde des négociants sillonnant les immensités du continent asiatique. De richissimes musulmans vêtus de soie, des Tibétains engoncés dans leurs peaux de yack, des parsis reconnaissables à la blancheur de leurs habits, des Chinois aux longues tresses et d'ascétiques Anglais en redingote grise de la Compagnie des Indes se côtoyaient sur cette esplanade vouée au commerce.

Il y avait foule devant l'entrepôt. Trois-Yeux et Amiya jouèrent des coudes pour pénétrer dans une longue galerie où étaient exposées des peaux tannées. On ne leur faisait pas de cadeau ; elles n'étaient que des femmes, indiennes de surcroît, leur valeur n'excédait pas celle de deux chèvres. Quelques hommes croisèrent le regard de la sorcière ; la malédiction et la mort dansaient dans ses pupilles. Ceux-là s'écartèrent sans demander leur reste.

L'odeur puissante des montagnes de peaux attendant les acheteurs chassait les senteurs venues de l'extérieur, même celle de l'encens qui fumait sur l'autel de Rudra le Grondeur. Amiya voyait ce dieu pour la première fois. Sa statue haute comme deux hommes le représentait dévorant le soleil. Trois-Yeux le salua en s'inclinant, puis expliqua tout bas à Amiya qu'il était un magicien, maître de la mort et de la fécondité.

Il n'était pas l'heure de prier le dieu. Des hommes d'une sous-caste, pliés en deux par le poids des ballots qu'ils portaient sur leur dos, débouchèrent du fond de cette caverne s'étendant à travers plusieurs pâtés de maisons. Ils étaient houspillés par un homme très grand et voûté dont la barbe en éventail, noire à reflets bleus, lui faisait comme un morceau d'armure cousu sur la poitrine.

– Plus vite ! Plus vite ! Chargez les chameaux ! La fête de Ganesha va bientôt battre son plein et plus personne ne pourra sortir de la ville !

Ses paroles glissèrent sur les têtes courbées des porteurs sans atteindre leurs oreilles. Chancha le Sans-Repos répétait toujours les mêmes choses, vu qu'il y avait plus d'une fête par jour à Bénarès. Il s'arrêta d'exhorter ses employés et s'écria :

– Trois-Yeux ! Enfin te voilà !

– Me voilà, Chancha.

Il se précipita pour l'étreindre.

– Je ne t'attendais plus...

– Tu n'as jamais pris le temps d'attendre. Tu n'as pas changé, Chancha. Pas un cheveu blanc, pas une ride. Les dieux t'ont pourvu d'une éternelle jeunesse...

– C'est le yoga de Rudra qui permet à la matière de ne pas vieillir.

Trois-Yeux hocha la tête. Elle avait oublié que son cousin pratiquait assidûment le yoga créé par son dieu au temps des Veda. De plus, il était célibataire et ne commettait aucun excès. On ne lui connaissait de fait aucun vice. Son métier était sa seule passion.

– Voici Amiya, dont je t'ai parlé dans ma lettre. Elle a été rejetée par sa famille et je l'ai prise sous ma protection. C'est une élève douée et si je n'avais pas d'autres ambitions pour elle, j'en aurais fait une guérisseuse.

Chancha jeta un regard soupçonneux à sa cousine. « Une guérisseuse ?... dis plutôt une sorcière », pensa-t-il. Puis il contempla la petite fille et songea aussitôt qu'elle ne deviendrait jamais comme Trois-Yeux, dont l'âme était rongée par le mal. La fillette avait la pureté et la fragilité d'un lotus.

– Jolie et intelligente, dit-il simplement.

– Elle est plus que cela, le reprit Trois-Yeux.

– Je sais... Bon, tu connais la maison. Votre chambre est à l'étage. Celle qui a un balcon donnant sur le Gange. J'ai onze mille peaux à charger ! Elles doivent impérativement partir dans l'heure pour Bombay. Je vous retrouverai ce soir.

Amiya aimait Ganesha. Mais qui n'aimait pas le dieu à tête d'éléphant ? Il était si différent des autres divinités. Elle le plaçait dans son cœur avant Shiva et Krishna. Bien qu'ignorante des grands rituels le concernant, elle lui vouait une adoration et une dévotion totales. Une confiance sans borne. Ganesha avait le pouvoir d'enlever les obstacles dressés par les autres dieux ou les forces maléfiques et il accordait son attention à tous, même aux intouchables.

Trois-Yeux guidait Amiya à travers les rues en pente et les escaliers menant au fleuve.

– Tu connais l'histoire de Ganesha ? demanda-t-elle.

– Oui ! Il était petit garçon quand son père, Shiva, en colère, lui coupa la tête... Puis...

Amiya ne parvenait pas à formuler la suite. Trois-Yeux lui vint en aide :

– Puis, regrettant son geste, il lui redonna

vie en remplaçant sa tête par celle d'un éléphant...

– Pourquoi Shiva a-t-il été si méchant avec son fils ?

– Shiva avait médité longtemps sous les montagnes, des siècles peut-être. Entrant dans son palais, il se heurta à un garçon qui lui interdit de pénétrer dans la pièce où la déesse Parvati, son épouse, prenait son bain. De colère, il tira son épée et trancha la tête du garçon. Il ne savait pas que c'était son fils. Dans deux jours, tu assisteras au grand défilé de l'anniversaire de Ganesha. Sa date change chaque année car elle dépend de la lune... Ah, les légendes sont belles !

– Pourquoi la lune ?

– Ça remonte à la jeunesse de Ganesha. Le jour de son anniversaire, Parvati lui offrit une profusion de friandises et de gâteaux. Il en mangea tant que son ventre déjà rond devint énorme et qu'il ne se sentit pas très bien. Il partit prendre l'air sur sa monture, une petite souris blanche, et utilisa un serpent en guise de ceinture pour maintenir son estomac. Un rire tomba alors du ciel. Levant les yeux, il vit la lune qui se moquait de lui et de son accoutrement. Vexé, il lui lança une malédiction : « Que personne ne voie jamais ta face le jour de mon anniversaire ! » C'est pourquoi on attend les jours sans lune pour les festivités de Ganesha Chaturti.

Cette histoire émerveillait Amiya, qui se demandait comment un aussi imposant personnage pouvait se déplacer sur le dos d'une petite souris.

La ville bourdonnait. Les habitants préparaient la fête, récuraient les maisons, les rues, purifiant les moindres parcelles de pierre, en particulier aux endroits où passeraient les représentations de Ganesha. Dans les ateliers de toile, on astiquait et on parait les gigantesques statues du dieu de fleurs tressées par les enfants. Des odeurs de peinture se mêlaient aux arômes des fleurs et de la nourriture préparée en abondance pour les dévots.

À Bénarès, les saints pullulaient. Ils étaient des milliers agglutinés devant les temples, sur les passages stratégiques menant au fleuve, dans les quartiers où la foule ne tarissait jamais. Les yeux fixés sur d'invisibles paradis, méditant et priant indéfiniment, ils attendaient d'être délivrés de leur misérable enveloppe charnelle. Certains se mutilaient, laissaient leurs membres se dessécher. Ils formaient des sectes rejetant l'autorité des brahmanes, et leurs courants de pensée exerçaient un véritable contre-pouvoir religieux que le peuple encourageait.

La plupart des dévots descendaient vers les gaths. Amiya et Trois-Yeux suivirent ce flot mystique et parvinrent au Manikarnika, le plus grand des gaths construits en pierre, sur lequel brûlaient d'innombrables bûchers.

Amiya écarquilla les yeux. Jamais elle n'avait vu autant de feux mortuaires... Certains bûchers étaient aussi élevés que les plus hautes maisons d'Aunrai.

– De très riches familles, des nobles, des brahmanes célèbres viennent ici, dit Trois-Yeux.

Les riches étaient reconnaissables à leurs vêtements somptueux, au teint de leur peau, aux éclats de leurs pierres précieuses, aux serviteurs soumis qui les entouraient. Mais il y avait aussi les pauvres, qui pullulaient comme des punaises sur les marches des gaths, prenant d'assaut les espaces libres, chacun essayant d'atteindre le Gange pour s'y baigner. L'eau boueuse les purifiait. Les blessures de l'âme guérissaient.

Trois-Yeux et Amiya se forcèrent des passages, se faufilèrent entre des fanatiques, des malades, des prêtres, des mendiants et des guerriers. Leurs pieds s'enfoncèrent dans la vase du fleuve. L'eau monta jusqu'à leur ventre et la lumière des cieux envahit leur esprit.

28

Tanjore fêtait aussi Ganesha. Au-dessus des toits plats, pareil à une couronne, le grand temple de Shiva-Rudra, dont le haut vimana pyramidal s'élevait à soixante mètres au-dessus du sol, brillait de mille feux. Au nord, le palais-labyrinthe des Nayak, auréolé de milliers de torches, dressait ses formidables tours, écrasant les quartiers des artisans. Au sud, léchant les murs d'autres palais plus modestes, le canal drainait des embarcations illuminées de lampes et de lampions.

Hiral l'Étincelante contemplait le paysage féerique avec émotion. Les servantes toujours à l'affût des expressions de son visage n'ignoraient rien de son trouble. Leur maître Michel était proche. Il arrivait toujours pour les fêtes de Ganesha. Et Hiral, dans l'attente de le voir apparaître, vibrait. Plus que d'habitude. Cette fois, elle l'attendait en femme libre, dégagée de toute obligation envers Shiva. Dans toute la ville, il se disait que la danseuse sacrée allait épouser le Français, et chacun s'en réjouissait. Ces deux êtres répandaient les bienfaits autour d'eux depuis qu'ils vivaient ensemble.

Hiral était la plus parfaite des femmes, la seule à maîtriser les soixante-quatre marques de savoir-vivre telles que le dessin, l'art de compléter une citation, les énigmes, la prestidigitation, l'usage des charmes, drogues et paroles magiques, les teintures, les langues des barbares étrangers et les langues régionales, la versification et les formes littéraires, le jeu d'échecs, le mélange et le polissage des métaux, l'art de tricher et bien d'autres choses qui dépassaient l'entendement des simples mortels.

« Oui, elle est complète », se répétaient les servantes en l'enviant.

Hiral se moquait bien des qualités extraordinaires qu'on lui prêtait. « Un mariage d'amour », pensa-t-elle, et cela seul lui importait.

Elle rejetait le mariage arrangé fondé sur la morale, la religion et la famille. En revanche, le mariage d'amour gandharva suscitait son enthousiasme et celui de Michel. Ils en parlaient souvent en s'enlaçant tendrement, en écoutant chanter la brise, en regardant s'éteindre le soleil et s'allumer les étoiles.

Ils se marieraient comme les héros des contes les plus célèbres de la tradition sanskrite.

– Ratul ! appela-t-elle.

Un jeune homme apparut.

– Oui, maîtresse ?

– Verse le meilleur vin dans une carafe d'or et fais préparer un repas de fête. Il ne va plus tarder, à présent.

Tanjore ! Tanjore ! Ce nom battait dans leur crâne comme un tambour. Il battait le rappel d'une joie dont ils s'emplissaient le cœur. Michel et Dhama forcèrent l'allure quand les lumières de la cité apparurent au-dessus de la forêt. Hyderabad, qu'ils avaient quittée comme des voleurs, appartenait désormais à un autre monde. Ils étaient hors de danger. Des jours heureux les attendaient dans la ville protégée par Shiva.

Ils atteignirent le canal qui perçait une ancienne muraille à moitié démolie. Des gens accompagnés d'orchestres dansaient en répandant des pétales de fleur. D'assourdissantes cacophonies montaient de tous les coins de la cité en liesse livrée au dieu éléphant. Face à l'affluence de la population, les deux cavaliers durent mettre pied à terre.

– Enfin ! souffla Dhama en acceptant le collier de fleurs jaunes qu'une jeune fille lui passa au cou.

Michel reçut le sien des mains d'un homme. La poitrine serrée, il devina les contours du palais, de leur palais. Les pierres taillées des deux tours blanches palpitaient sous l'action des feux allumés dans les rues.

Parvenus devant la double porte de chêne et de cuivre, ils n'eurent pas besoin de donner du poing sur l'huis. Elle s'ouvrit comme par enchantement sur un couloir de lumière. Vingt serviteurs portant des torches s'inclinèrent devant Michel comme s'il était Ganesha en personne. Ils ouvraient la voie à leur déesse.

Hiral.

Le regard de l'Étincelante s'amenuisa, s'appesantit sur le cavalier couvert de poussière, l'isolant de l'univers bruyant des hommes. Michel ne respirait plus ; il la trouvait encore plus belle que dans ses souvenirs, plus désirable et en même temps plus insaisissable. Un sari rouge frangé d'or la vêtait. Les extrémités de ses mains et de ses pieds étaient peintes en rouge. Une chaîne d'or reliait sa narine gauche à son oreille gauche. Sa lourde tresse piquée de diamants tombait comme une épaisse liane d'ébène jusqu'au milieu de sa cuisse.

Elle s'avança vers lui d'une démarche souple, entamant des pas qui parurent sacrés aux yeux des serviteurs et de Dhama. Quand elle fut près de lui, lui saisissant le visage, elle lui donna un fougueux baiser.

En une fraction de seconde, l'Étincelante Hiral effaça jusqu'au souvenir de Sajils l'Ornée.

– Vous pouvez vous retirer, commanda Hiral.

Les servantes s'égaillèrent en gloussant et en emportant les plats précieux qu'elles avaient déposés sur les tapis une heure plus tôt. On entendit décroître leurs pas et leurs rires, on entendit hululer une chouette, puis le lointain chuchotement cristallin des fontaines remplaça tous ces bruits.

Hiral se laissa aller entre les bras de Michel. Elle colla son oreille sur sa poitrine pour écouter le cœur de l'aimé. Il lui caressait les cheveux, murmurait les mots qu'il avait longtemps gardés dans ce cœur. Il lui raconta ses aventures sans rien lui cacher ; il lui parla de Sajils et de la menace qui pesait désormais sur eux. Elle posa ses doigts sur sa bouche.

– Chut... fit-elle. Ne crains rien. Ne doute point.

Ses craintes et ses doutes s'envolèrent aussitôt. Michel se sentit protégé. Hiral avait fait appel à Shiva.

Les yeux rougeoyants des bûchers fascinaient Amiya. Des tourbillons d'étincelles montaient dans le ciel de septembre et, poussés par le vent nocturne venant du Gange, s'éparpillaient en une fine pluie noire sur les toits de la ville. Pareils à des démons, les kasis armés de fourches replaçaient les cadavres déséquilibrés dans les brasiers, tandis que les prêtres immobiles ensemençaient l'éther par leurs prières.

Trois-Yeux rompit le silence qu'elle s'était imposé depuis plus de quatre heures au côté d'un sadhu aveugle au torse scarifié.

– Nous allons au temple d'Or, dit-elle.

Amiya acquiesça. Elle était fatiguée, mais la sorcière n'en tenait pas compte. Le regard lointain et préoccupé, elle s'orienta dans la foule qui, à deux reprises, avait été prise d'hystérie, tuant et blessant dans ses bousculades de pauvres hères qui n'avaient pas eu le temps de se mettre à l'écart.

Trois-Yeux repéra les endroits sûrs et, tirant Amiya par la main, entreprit l'ascension de la cité des dieux. Elles n'eurent qu'à suivre les courants menant aux temples.

Le lingam antique était l'un des symboles les plus adorés de Bénarès. Ce sexe d'or avait été placé au centre du temple, sous la coupole d'or. Des guirlandes l'ornaient ; des brassées de fleurs déposées autour de lui répandaient leurs odeurs entêtantes. De temps à autre, un prêtre s'en approchait et versait de l'eau pour le maintenir humide. Parfois, il l'oignait de lait et de beurre. Deux fidèles béats imitèrent le prêtre et enduisirent le membre sacré de miel.

Douze grands lingams sacrés étaient vénérés en Inde. Amiya avait un vague souvenir du chiffre, dévoilé par son père lors d'un repas. Elle remarqua la vulve sculptée dans la pierre. Les deux sexes géants représentaient la nature fondamentale et l'énergie manifestée. Ils ne signifiaient pas grand-chose pour elle. Le concept création/destruction de l'univers la dépassait. Dans son esprit, il se limitait aux rapports sexuels que Trois-Yeux avait abordés en lui dévoilant les prémices du Kama-sutra.

Elle eut un frisson. Un jour, un lingam aussi dur que celui de Shiva la pénétrerait. Elle redoutait cet instant, se souvenant des douleurs décrites par ses amies Hila et Mili.

Trois-Yeux priait. Amiya ne l'avait jamais vue aussi pieuse et attachée aux rites. Sa prière ne dura cependant pas longtemps. Un homme d'une quarantaine d'années venait d'entrer dans le cercle des fidèles tournés vers le lingam. Il était accompagné de deux serviteurs attentifs. Sa richesse et sa noblesse ne faisaient aucun doute ; on s'écartait de lui en s'inclinant. Vêtu d'une veste de soie aux boutons d'ivoire, d'un pantalon blanc, coiffé d'un turban orné d'une feuille d'argent sertie de trois saphirs, il imposait le respect et la crainte. Il contourna le lingam et alla se recueillir dans une zone d'ombre.

– Suis-moi, murmura Trois-Yeux à Amiya.

Trois-Yeux se rendit dans l'obscurité où s'étaient réfugiés le mystérieux personnage et ses serviteurs. Il ne s'étonna pas de l'arrivée de la sorcière et de sa protégée.

– Que les dieux te gardent et te bénissent,

prince Ranga, dit Trois-Yeux en le saluant selon la tradition.

Il lui rendit son salut.

– Sois toi-même bénie.

Les yeux du prince se posèrent sur Amiya.

– C'est la Délicieuse dont tu m'as vanté les qualités dans ta lettre ? demanda-t-il.

– Oui, prince.

– Est-elle prête ?

– Pas encore. Elle doit être initiée. Je te demande cinq mois pour parfaire son éducation et je te la ramènerai le jour de la fête du holi.

– Ce jour-là, nous la présenterons à son gourou. Je suis satisfait de toi, Trois-Yeux. Continue à me servir comme tu as servi mon père, et je demeurerai ton protecteur.

Sur ces mots, il se détourna et s'en alla entre les piliers massifs. Amiya se demanda si elle n'avait pas rêvé. Des questions lui brûlaient les lèvres. Trois-Yeux la laissa perplexe en murmurant :

– Si tu fais ce que je te dis, tu vivras comme une princesse.

29

Hiral et Michel se mêlèrent à la foule en liesse. On ne faisait pas attention à eux. Ils étaient vêtus simplement et il était difficile de mettre une identité sur le Français au teint mat, aux traits burinés, à la barbe noire. Il ressemblait à l'un de ces marchands du Nord installés dans l'un des nombreux bazars de la ville. Comme eux, il portait un poignard rustique à la hanche. Hiral n'avait pas de bijoux, un voile safran couvrait sa tête et ses épaules. Un sari vert bouteille descendait jusqu'à ses pieds, qu'elle n'avait pas peints.

Moins discret était Dhama. Le moine armé déambulait à quelques pas derrière eux et avait l'œil sur tout ce qui bougeait. Il ne se départait pas de la funeste impression qui lui collait à la peau depuis qu'ils avaient quitté le palais du raja Kirat à Hyderabad.

Il n'y avait pourtant pas de quoi s'inquiéter, dans les rues de Tanjore. Au pire, on risquait de prendre des coups dans une bousculade. Ils atteignirent tant bien que mal le centre historique assailli par des milliers de personnes. De ce chaudron percé de portes partaient les principales processions organisées par les différentes castes. Passé l'angle de la rue des Teinturiers, ils virent se détacher un Ganesha bleu au-dessus de la houle humaine. Sous un dais d'étoffes aux nuances jaune et orangé et des arcades de fleurs séchées, il fendait majestueusement les flots de ceux qui l'adoraient. Un autre apparut dans une rue transversale étroite ; les roues de son char raclaient les bordures des maisons, provoquant des tremblements, des chutes de plâtre, la fuite des chats et des rats. Une vingtaine de dévots le tiraient ; les cordes de fibre végétale entamaient leurs épaules et leurs mains, le sang se mêlait à la sueur, à la poussière, marquait leur peau de traînées rouges, preuves de leur foi.

Hiral et Michel purent s'approcher des joueurs de flûtes, de nageshvaram et de tambours, des danseurs et des danseuses

portant sur leurs épaules de grands arceaux de plumes de paon et sur leurs têtes des pots de terre cuite où brûlait du camphre. D'autres participants brisaient des noix de coco. Hiral et Michel entrèrent en communion avec tous ces inconnus et l'énergie divine qui les animait. L'esprit de Ganesha descendit en eux.

Tout avait un sens profond. Les roues grinçaient, les dévots gémissaient, les musiciens, les danseurs et les fidèles étaient au bord de l'extase. Les noix craquaient. Les coquilles symbolisaient l'illusion du monde, la chair du fruit représentait les karmas individuels, et l'eau l'ego humain. En brisant les noix, ils s'offraient à Ganesha.

Hiral et Michel se tenaient la main. Leurs doigts se serrèrent. Ils offrirent leurs cœurs au dieu pour que les obstacles à leur amour fussent levés.

Les Ganesha surgissaient un à un des quartiers populeux; ils en rejoignirent d'autres, venus des quatre points cardinaux et des villages proches. Les cortèges s'unirent en un fleuve lumineux qui s'écoula vers le temple de Shiva. Plus de cinquante Ganesha croulant sous des régimes de bananes, des grappes de noix de coco et des feuilles d'aréquiers entraînaient deux cent mille âmes derrière eux.

Les deux paysans attrapèrent au vol les friandises distribuées par les disciples de Ganesha. Ils les grignotèrent sans joie véritable, sans éprouver de faim. Ils n'étaient pas faméliques comme la majorité des hommes et des femmes vivant durement des travaux de la terre. Un observateur avisé aurait été surpris par leurs regards sans pitié, leurs déplacements précis, leur manque d'enthousiasme pour cette fête chère aux basses castes et aux pauvres.

Les deux paysans croisèrent d'autres paysans aux allures furtives et échangèrent des regards complices avec eux, puis ils rencontrèrent successivement trois marchands qui n'étaient pas faits pour le négoce. Tous ces étranges et inquiétants personnages dissimulés dans la foule formaient une toile d'araignée mouvante dont le centre était le couple d'amoureux.

Les trois marchands finirent par se rencontrer. Le plus athlétique, un individu, un Dravidien à la peau sombre dont le regard de fauve ne quittait pas la danseuse et le Français, enragea tout bas :

– Ils finiront bien par quitter le cortège, souffla-t-il à ses deux compagnons.

– Ils ne nous échapperont pas, répondit l'un d'eux.

Les trois hommes n'en doutaient pas, mais le moment d'écourter la vie de leurs ennemis n'était pas venu. Pas au milieu de cette foule. Pas si proche des Ganesha. C'eût été un suicide.

Le Dravidien repoussa le démon qui l'exhortait à agir et à assouvir sa soif de vengeance. Il en éprouva un trouble qui lui fit tourner la tête. Il ne lutterait plus longtemps contre ce démon.

La journée avait été harassante mais le bonheur endiguait les fatigues. Chacun avait fait son plein d'espoir. Ganesha, avec sa hache, avait supprimé les agitations et les chagrins ; il s'était servi de son nœud coulant pour capturer les erreurs des hommes.

Tous les obstacles avaient été levés.

– Si tu l'acceptes, dit Hiral, nous nous marierons dans deux jours.

Elle s'accrocha plus fermement au bras qui enserrait le sien, guettant les réactions de son amour.

– Maintenant, si tu le désires... Maintenant ! répondit-il avec la fougue qui le caractérisait.

– Non, attendons que la lune reprenne son cycle.

– Comptes-tu inviter nos amis ?

– Non, il n'y aura ni préparatifs ni fête. Nous nous unirons dans la simplicité et la pureté.

Michel était au comble du bonheur. Il voulait la soulever, la faire tourner, l'embrasser, mais en Inde les marques chaleureuses d'affection n'étaient pas autorisées en public et il y avait encore du monde autour d'eux.

– L'Inde et ses dieux seront témoins de notre amour, dit-il.

Il songea aussitôt à l'emmener visiter les sept villes sacrées du pays, les temples célèbres, à lui faire connaître les montagnes et les fleuves où vivaient les dieux. Ils contempleraient ensemble les beautés du monde...

Sans se concerter, ils s'éloignèrent du grand temple de Shiva pour prendre un raccourci qui menait à leur palais situé sur le canal. Le désir les tenaillait.

La nuit venait, avalant lentement le sang solaire répandu sur le sommet des collines et le pourtour des toits. La nuit s'étendait, avec ses promesses de plaisirs, ses rêves et ses enchantements. C'était ainsi qu'ils la voyaient.

La nuit que redoutait Dhama tombait trop rapidement. Il progressait avec prudence, une vingtaine de mètres derrière eux. Ils étaient encore loin du palais. Le moine les avait suivis toute la journée, pestant contre leur insouciance. Ils se comportaient comme des adolescents, aveugles à ce qui se tramait dans l'ombre. Dhama toucha les manches de ses armes. Il avait perçu le danger sans en connaître l'origine. Maintenant, il se préparait à l'affronter, d'un instant à l'autre.

La venelle qu'ils empruntèrent était déserte, dénuée de lumière. Les dalles de cette voie étaient usées et se soulevaient, rendant leur marche malaisée. Ils ne s'en souciaient pas. Seul le temps gagné comptait.

Dhama s'était figé. Son instinct de montagnard, son don d'ubiquité, sa nature de prédateur l'avaient alerté de l'imminence d'un danger mortel. Tous ses sens primaires et surnaturels étaient tendus. Il n'attendit pas l'attaque, il l'anticipa. Les adversaires étaient nombreux.

Les lames qu'il dégagea de leurs fourreaux luirent dans l'aura crépusculaire ; elles sifflèrent et frappèrent au flanc deux hommes, qui s'écroulèrent.

– Michel ! Attention ! cria-t-il.

Michel avait entendu les pas précipités bien

avant le cri de Dhama. Il brandit son poignard. Deux ombres lui faisaient face, une autre arrivait sur son côté droit. Il attira Hiral derrière lui. L'Étincelante ne montra pas sa peur. Que craignait-elle ? Elle avait Michel et Dhama pour la protéger.

Et les dieux l'aimaient.

– Shiva ! Viens à moi ! s'exclama-t-elle. Rudra, seigneur de la douleur ! Apparais !

Cet appel aux forces divines fit son effet. Les assaillants hésitèrent. Cette femme avait sûrement des pouvoirs magiques. Ils n'ignoraient pas qu'elle était la danseuse sacrée vénérée par les brahmanes et les dévots.

Leur superstition signa leur perte. D'un large mouvement du bras, Michel trancha la gorge de l'assaillant de droite, puis, se saisissant au vol de l'épée de ce dernier, ferrailla avec les deux autres. De son côté, Dhama avait ôté la vie d'un sixième assassin. Il accourut au secours de Michel et de Hiral.

Le combat fut bref. Le Français et le moine, habitués à se battre ensemble depuis des années, l'emportèrent facilement.

Pour l'heure, ils contemplaient les cadavres qui jonchaient le sol.

– Qui sont-ils ? interrogea Hiral au bout d'un moment.

– Des envoyés de Kirat, répondit Dhama en sondant les profondeurs des ruelles.

Le danger, qu'il percevait encore, se manifesta aussitôt :

– Vous allez mourir !

Michel se retourna vivement. Il connaissait cette voix. Un guerrier vêtu de cuir sortit de la pénombre.

– Bikram, laissa échapper Michel.

Bikram, l'Exploit, le commandant en chef de la garde du raja Kirat d'Hyderabad, le Dravidien torturé par le démon de la jalousie, s'avançait vers eux d'un pas tranquille, une lourde épée à la main. Un rictus sardonique déformait le bas de son visage.

– Je n'ai pas été envoyé par mon roi ! Je ne voulais pas laisser à quelqu'un d'autre la joie de te précipiter en enfer !

– Tes hommes t'y ont précédé ! répondit Michel.

– Tu as offensé la princesse Sajils, gronda le Dravidien. Tu l'as déconsidérée aux yeux de son père. Tu as sali son corps !

– Je n'ai rien fait de ce que tu dis.

Michel se préparait à l'assaut, ramassant tous ses muscles, toute son attention, sur la pointe de l'arme que Bikram promenait devant lui.

– Tu l'aurais damnée en l'épousant...
– La femme que je vais épouser est à mes côtés. La jalousie t'aveugle, Bikram. Retourne à Hyderabad et sers celle que tu aimes. Trop de sang a déjà coulé...
– Sale chien !
Bikram se fendit. Michel para. Des étincelles précédèrent le crissement des lames. D'un coup de pied, Michel repoussa le guerrier. Cette passe d'armes fut la première d'une longue série. Bikram était redoutable, formé à la science du combat. Doté d'une grande agilité et d'une force peu commune, il faillit percer les défenses du Français à plusieurs reprises ; il y parvint enfin, lui érafla le bras gauche.
La brûlure électrisa Michel, le rendit féroce.
Mais peut-être fut-ce Rudra qui, dès cet instant, prit possession de lui. Il devint plus fort qu'un tigre, plus rapide qu'un cobra. Son épée traça des courbes, siffla aux oreilles du Dravidien, trouva la faille et s'enfonça dans sa poitrine.
Bikram tomba à genoux. En ce bref moment où sa vie se retirait, il lui sembla voir la forme terrifiante de Shiva-Rudra s'élever au-dessus de son ennemi.

30

À Aunrai, les habitudes changeaient à chaque saison, comme partout dans une très grande partie de l'Inde. Deux saisons principales rythmaient la vie des paysans liée aux cultures de la terre : le kharif, qui durait de mai à la mi-octobre, et le rabi, qui se poursuivait jusqu'en avril. On était entré dans la seconde saison, qui commençait par les semailles d'orge, de blé, de pois, de lin, de moutarde.

Bien que n'ayant jamais travaillé dans les champs, Amiya se souvenait des rites de la terre, des gestes millénaires, du lent cheminement des êtres dans les sillons. Elle en éprouvait un peu de nostalgie. Il lui aurait été cependant impossible de retourner vivre au village. Il lui arrivait de s'en approcher prudemment quand elle accompagnait les deux inséparables servantes. Les haines étaient tenaces. Quelqu'un de sa famille pouvait la tuer. Aussi préférait-elle s'enfermer.

À sa façon, Trois-Yeux semait des graines dans l'esprit d'Amiya, et la récolte, pensait-elle, serait abondante. Elle la voulait savante. Cette érudition forcée ne déplaisait pas à Amiya. Elle apprenait consciencieusement bien qu'elle ne devinât pas le but poursuivi par son professeur. Plus elle réduisait ses zones d'ignorance et plus elle libérait de grands espaces dans son esprit affamé de connaissances, s'ouvrant ainsi des perspectives d'appartenir un jour à une caste supérieure.

Elle n'avait pas oublié sa rencontre avec le prince Ranga dans le temple d'Or. Des semaines s'étaient écoulées depuis ce jour et Amiya, s'interrogeant sans cesse, n'était plus aussi sûre de sa destinée de « princesse ». Elle avait senti Trois-Yeux aux ordres de cet homme et s'était dit que la sorcière n'exerçait son art que parce qu'il lui en donnait l'autorisation et la protégeait...

– Et comment se nomme la saison intermédiaire ? demanda Trois-Yeux en lui tendant un morceau de papier sur lequel étaient écrits deux mots en nagari.

On parlait en hindi et on écrivait en nagari.

– Le... zaid karif, prononça Amiya avec difficulté.

Le zaid karif durait de décembre à janvier, deux mois pendant lesquels on récoltait le riz, le coton, les graines oléagineuses semées en septembre. Il y avait bien d'autres tâches effectuées par les paysans ; elle les énuméra toutes. Il lui suffisait d'une leçon pour retenir un grand nombre de choses. Sa mémoire et la vivacité de son intelligence dépassaient celles de Trois-Yeux. Sa capacité d'analyse était prodigieuse. La forte personnalité de son élève commençait à inquiéter Trois-Yeux. La sorcière avait désiré dresser un superbe animal de compagnie, pas forger une arme.

Trois-Yeux prit un autre parchemin et le fit glisser sur les genoux d'Amiya. Elle guetta ses réactions. Cette dernière aurait dû être choquée. Pas un trait de son visage ne bougea. Pas une rougeur ne monta à ses pommettes.

Deux miniatures et deux textes remplissaient le parchemin.

Sur la première, trois femmes grassouillettes et nues, aux jambes écartées, se tenaient au bord d'un bassin où flottaient des fleurs de lotus. Elles avaient l'air de se laver et de se caresser.

– Lis à haute voix, ordonna Trois-Yeux, qui scrutait toujours le visage juvénile.

Elle vit passer une lueur de défi dans ses yeux.

Cette fois, Amiya ne buta pas sur les mots :

– « Une femme respectable considère la propreté de l'esprit et du corps comme la chose la plus essentielle. Elle doit en permanence s'efforcer d'avoir un corps propre et gracieux. Les qualités d'une vierge apte au mariage sont les suivantes : elle doit être belle, d'un naturel agréable, avec des grains de beauté sur le corps, de beaux cheveux, ongles, dents, oreilles, yeux devant être totalement satisfaisants, et elle ne doit pas souffrir d'un corps maladif. Naturellement, l'homme devra lui-même posséder ces qualités. »

La seconde miniature n'offrait aucune ambiguïté. Beaucoup de jeunes vierges auraient détourné la tête à la vue de cette peinture. Pas Amiya.

Deux femmes et un homme assis sur des tapis et des coussins se livraient à un acte d'amour. Un peu à l'écart, l'une des deux femmes semblait donner des conseils au couple. La seconde, femme sensuelle aux cheveux dénoués, était empalée sur le membre de son amant et lui ceignait la taille avec ses cuisses.

– Lis !

– « Dès le départ, l'épouse devra s'efforcer de s'attacher le cœur de son mari en se montrant dévouée, affable et sage en toute occasion. Si toutefois elle ne lui donne pas un enfant, elle conseillera elle-même à son époux de prendre une autre femme. Et quand la seconde femme sera épousée et installée dans la même maison, la première lui accordera une position supérieure à la sienne et la considérera comme une sœur. »

La miniature en était l'exemple. Amiya reporta son regard vers Trois-Yeux, la mettant mal à l'aise.

– J'essaie de t'enseigner l'essentiel de ce que tu dois savoir pour entrer dans ta vie de femme et c'est difficile...

– Tu comptes me marier ?

– Non... à vrai dire...

– C'est le prince qui t'a demandé de m'instruire ?

– Non... Je l'ai décidé seule il y a bien longtemps, alors que tu n'étais qu'une petite fille pouvant à peine tirer l'eau du puits.

– Pourquoi moi ?

– Parce que tu es unique... Parce que tu

n'aurais pas dû naître dans une caste inférieure.

– Qui étais-je, avant de m'éveiller à cette vie ?

– Je ne sais pas au juste. Quelqu'un d'important. Un homme ou une femme qui par ses actions a déplu aux dieux. J'ai essayé, mais il m'a été impossible de connaître tes vies antérieures. Ne cherche pas à savoir d'où tu viens. Seul compte le karma. Essaie de t'accomplir dans cette vie.

Trois-Yeux voyait poindre le jour où elle devrait se séparer d'elle. Elle retira un autre parchemin de la liasse qu'elle avait préparée. L'enseignement initiatique se poursuivait.

Sans relâche.

La cérémonie s'était déroulée dans une aile peu fréquentée du temple de Shiva. Un mariage simple, comme l'avaient désiré les époux. Les brahmanes comblés de cadeaux et de coquettes sommes d'argent s'étaient volontiers pliés aux exigences de la danseuse sacrée.

À présent, Hiral et Michel, revenus au palais, après avoir pris le repas traditionnel avec quelques intimes, s'apprêtaient à rejoindre la chambre tapissée de fleurs par les servantes.

Dhama les regarda partir main dans la main et songea à l'étrangeté des coutumes hindoues. Ils ne dormiraient pas dans le lit, mais sur des nattes tressées, car ils désiraient renouer avec les anciennes règles et vertus de l'Inde. Ils s'allongeraient côte à côte et ne se toucheraient pas durant trois nuits.

À son tour Dhama déroula sa natte dans le couloir menant aux appartements de ses amis. Il tira ses sabres de leurs fourreaux, les déposa sur le sol à portée de main, puis s'allongea en écoutant la nuit.

Il veillerait sur leur amour.

31

Durga l'Inaccessible, accompagnée d'un fauve montrant les dents, régnait sur ces lieux lugubres. Érigée à l'entrée du temple Noir, elle était la première représentation de la déesse. Le temple Noir se situait à une journée de cheval de Calcutta.

Sajils s'inclina humblement devant la statue. Les officiants de la secte attendirent la fin de son dialogue secret avec Durga puis l'invitèrent à entrer dans le sanctuaire.

Aucune autre ouverture que la porte massive n'entaillait le ventre colossal de l'édifice. Elle aperçut un lumignon flottant dans cette nuit à une hauteur qu'elle ne put évaluer. Les officiants l'emmenèrent vers cette balise qu'elle identifia comme étant une lampe à huile accrochée au plafond par une chaîne de fer. Peu à peu, ses yeux s'habituèrent à la pénombre et elle découvrit un autre aspect de Durga : Chamunda.

Plusieurs paires de bras sortaient de son tronc ; elle était vêtue d'une peau et portait un collier de crânes humains. Sajils reconnut sa déesse ainsi transformée après qu'elle eut tué les deux démons, Chanda et Munda. Des hommes et des femmes immobiles se tenaient autour de la statue, psalmodiant des versets incompréhensibles.

La princesse d'Hyderabad s'attendait à être intronisée devant la déesse, mais ses accompagnateurs la prièrent de s'enfoncer plus avant dans la noirceur du temple. Elle parvint enfin devant la troisième incarnation de Durga, la plus redoutable.

Kali ou plutôt Bhadrakali, car elle avait plusieurs paires de bras et dansait sur un corps inanimé en tirant la langue et en brandissant des armes.

Sajils sut qu'elle était parvenue à destination en voyant les officiants se frapper la poitrine et entrer dans une sorte de transe hypnotique. Elle avait fait le voyage d'Hyderabad à Calcutta jusqu'au temple de Kalighat, où les héritiers des thugs l'avaient reconnue comme leur souveraine avant de la conduire dans ce temple secret creusé à flanc de falaise au cœur des marais du Bihar.

Les thugs s'y rassemblaient depuis que les Anglais les avaient exterminés. Les membres de la secte n'étaient plus que quelques centaines. La police les avait traqués sans relâche.

Pendant dix ans, ils s'étaient opposés aux Anglais. Ils avaient perpétré d'innombrables crimes rituels au nom de Kali. Aujourd'hui, on en parlait comme d'une légende, avec la peur viscérale de les voir réapparaître.

Sajils ne comprenait pas leur langage. Personne ne le comprenait. Ils parlaient dans un argot secret appelé « ramasi ». Elle ne s'était pas retrouvée parmi eux par hasard. Tanika, la Corde, la femme qui avait été affectée à son service alors qu'elle sortait de l'enfance, Tanika, sa complice et confidente, était une adoratrice de Kali ; son père et son frère, fervents adeptes des thugs, avaient été pendus à Calcutta. Tanika, rêvant de les venger, n'avait eu d'autre but que de forger une arme invincible : sa princesse Sajils. Elle ne s'était pas trompée. Dès que la délégation des six thugs avait rencontré Sajils dans le secret d'un petit temple abandonné à la sortie d'Hyderabad, elle avait reconnu en elle le caractère divin de Kali.

Maintenant, comme les Assassins du Vieux de la Montagne au Liban, ils étaient prêts à sacrifier leur vie pour elle. Ils attendaient un signe de leur chef. Cet homme charismatique, âgé d'une quarantaine d'années, les yeux luisants comme des gemmes maléfiques, profondément enfoncés sous leurs arcades, avait tué à lui seul plus de cent personnes. Il prit un stylet, se coupa la paume de la main gauche avant de répandre son sang sur l'autel de la « Noire » et sur le front et lcs joues de la princesse.

– Commande et nous t'obéirons, dit-il.

Elle lui parla en invoquant Kali.

Quand elle eut fini, il jura sur la déesse qu'il tuerait l'homme qui l'avait offensée.

Dans les minutes qui suivirent, vingt thugs par dix routes différentes menant vers le sud se lancèrent sur la trace du Français.

Les jours s'écoulaient, heureux, sous des ciels lumineux ; les nuits se succédaient, paisibles, sous les bienveillantes étoiles. Rien ne troublait leur amour renouvelé à chaque aube, exacerbé à chaque crépuscule. Hiral racontait l'histoire des dieux de l'Inde, lui dévoilait l'existence des rites secrets qu'elle avait appris aux côtés des brahmanes et des gourous. Elle lui révélait les véritables essences de Shiva et de Vishnou, le guidait sur des sentiers de gloire, dans l'inextricable jungle de la religion hindoue.

Il croyait bien connaître l'Inde ; il s'aperçut qu'il n'était qu'un amateur éclairé. De son côté, il lui apprenait à monter à cheval, à lire les cartes géographiques, à écrire le français.

Tous deux répandaient le bien, allaient au secours des pauvres et des malades, livraient des vivres aux déshérités dans les campagnes et des outils aux paysans pour leur permettre de creuser des canaux. La politique était l'un des sujets favoris de leurs conversations. Ils étaient d'accord sur un point vital : on devait mettre fin à la domination de l'Angleterre sur le continent, à toutes les colonisations qui coupaient les peuples de leurs racines et de leur culture.

Le jour de la fête de Pongal, à l'heure où les prêtres promenaient les vaches à qui les fidèles donnaient du riz sucré à manger, un messager du Nord se présenta à eux.

Bien qu'il ne portât pas le turban orange, ils n'eurent aucun mal à reconnaître en lui un sikh. Sa barbe noire descendait jusqu'à sa poitrine. Quatre des cinq *K* sikhs étaient visibles. Le kach, pantalon ample pour le combat, le kara, bracelet d'acier symbolisant l'austérité et la sobriété, le kirpan, l'épée défensive recourbée, et évidemment le kesh de la sainteté, barbe et cheveux non coupés.

– Je te salue, sahib Michel, dit le guerrier aux traits tirés par la fatigue. Je m'appelle Duna Singh, j'arrive de Lahore. J'ai deux lettres qui te sont destinées, ajouta-t-il en lui remettant deux missives cachetées de cire.

– Duna Singh... répéta Michel, songeur. Mais... je te connais ! Tu commandes un régiment de la cavalerie de fer de Laj Singh !

– En effet, nous nous sommes rencontrés il y a deux ans, juste avant l'assassinat de notre roi, Karag Singh. Tu nous avais livré mille fusils et une grande quantité de munitions.

Michel fit sauter le cachet de la première lettre, un tigre surmonté de deux épées. Un pli d'inquiétude barra son front. Elle était écrite de la main même du Premier ministre du Pendjab, au nom de la régente, la rani Jundan. Un frisson le parcourut. La rani était surnommée « la Messaline du Pendjab ». C'était la plus cruelle et la plus effroyable des créatures. La lettre était une invitation à se rendre au plus tôt à Lahore. Le ministre lui proposait cent mille roupies, des titres et des terres s'il rejoignait l'armée sikhe.

La seconde venait de son ami Jean Allard, ancien officier de l'armée napoléonienne qui avait bien connu son père. Il était devenu instructeur militaire au Pendjab. Il le suppliait de venir afin de chasser une fois pour toutes les Anglais et de venger les morts de Waterloo.

Michel demeura pensif. Parmi les héros tombés sur le champ de bataille, il y avait son père.

– Des mauvaises nouvelles ? lui demanda Hiral.

– Pas vraiment... Ces lettres ne changeront rien. Nous partirons comme prévu dans ma forteresse de Salem, où nous serons à l'abri de la vengeance de Kirat pendant quelque temps.

Michel avait envisagé cette solution dès le début, ne désespérant pas de trouver plus tard un arrangement avec le raja d'Hyderabad. Ce dernier n'attaquerait pas une forteresse si lointaine ; il n'en avait pas les moyens.

– Que disent ces lettres ? insista Hiral.

Il en dévoila le contenu. Elle n'hésita pas une seconde :

– Nous n'irons pas à Salem, mais à Lahore.

Dhama, qui était demeuré silencieux, intervint :

– C'est de la folie ! Autant se rendre au palais de Kirat !

– Je vais te faire escorter jusqu'à Salem, reprit Michel. Là-bas, tu seras à l'abri du danger. Dhama t'accompagnera et veillera sur ta sécurité.

– Et toi ?

– Je me rends au Pendjab ; j'ai des comptes à régler avec les Anglais.

L'image de son père ensanglanté sur le champ de bataille de Waterloo s'était imposée, lui dictant son devoir.

– Tu me relègues donc dans ce rôle subalterne ! Tu veux que je ressemble à toutes ces femmes soumises que tu plains tant et que tu voudrais libérer au nom de tes grands idéaux révolutionnaires ? ! Tu ne vaux pas plus que mes compatriotes, qui ont divisé le peuple en castes !

– Hiral...

– Les Anglais sont autant mes ennemis que les tiens. Je donnerais mon sang pour les voir quitter le pays ! Tu le sais... Je crois à la puissance infinie des dieux, mais je crois aussi en l'homme. Je suis une femme libre ! Je n'appartiens à aucune caste et je suis ton épouse, ton égale. Indienne par l'esprit, française dans le cœur. Nous partageons tout !

– Tu as gagné, dit Michel. Nous irons à Lahore aider nos frères sikhs.

Le sikh acquiesça en regardant Hiral avec admiration. Cette femme était de taille à se mesurer à la rani Jundan.

– Je dois vous mener d'abord jusqu'à Bénarès, expliqua-t-il où nous rejoindrons le prince Ranga.

– Ranga s'est rallié à la rani ?

– Officieusement. Nos agents nous aideront tout au long de notre itinéraire. Nous devrons faire preuve de prudence car les espions et les traîtres pullulent. L'Inde est gangrenée par la corruption.

– Dhama ! lança Michel. Fais préparer les chevaux et les vivres. Nous partirons avant la tombée de la nuit.

32

Trois-Yeux lui avait maintes fois parlé des différentes sortes de mariages sans véritablement approfondir le sujet. La veille, elle avait détaillé les formes de mariage classiques, pratiquées selon les castes et surtout selon les moyens financiers.

Ce matin, la sorcière contenait sa voix. Elle avait donné une brève leçon de danse à Amiya qui en était encore tout essoufflée.

– Il existe, tu as sûrement entendu des histoires effrayantes à ce sujet, des mariages appartenant à la classe des démons, les pires ! Et ils ne sont pas aussi rares qu'on le croit. Il y en a eu même à Aunrai.

– À Aunrai ! s'écria Amiya.

– Oui.

– C'est impossible !

– Les basses castes et les paysans ne sont pas à l'abri des tentations démoniaques.

Amiya chercha dans sa tête. Elle ne se souvenait pas d'avoir entendu dire qu'une jeune fille du village ait été victime d'un mariage maléfique. Certes, les vieux en parlaient, mais leurs racontars remontaient à leur jeunesse, ou concernaient les villes sous l'emprise d'un mal grandissant.

Amiya était interloquée. Elle écouta Trois-Yeux lui décrire la cérémonie rakhasa et la noce pishaka, la plus terrible, qu'on associait à l'enfer.

La peur s'insinua dans l'esprit d'Amiya. Où la sorcière voulait-elle en venir ? Elle avait toujours en mémoire le visage du prince Ranga, de Bénarès. Étrangement, elle associa cet homme aux deux mariages maudits. Le rakhasa consistait à enlever l'épouse comme le faisaient autrefois les vainqueurs d'une guerre, la femme n'avait alors pas plus de valeur qu'une tête de bétail. La noce pishaka consistait à enlever une femme et à la violer après lui avoir administré des drogues ou fait boire de l'alcool.

– Rassure-toi, tu ne subiras pas de telles épreuves, dit Trois-Yeux.

– Alors pourquoi m'en parles-tu ?

– Pour t'ouvrir les yeux, pour que tu aies une idée de la folie des hommes et de la violence engendrée par le mal.

Cette réponse sonnait faux. Trois-Yeux n'était pas du côté du bien. Amiya grimaça, puis cacha son visage entre ses jambes repliées.

– Tu ne te sens pas bien ? demanda la sorcière.

– Si, mais...

– Dis-moi.

– Parfois, j'ai l'impression que tu me mens, que tu me caches la vérité.

– Je t'ai toujours dit que tu deviendrais riche, et c'est la vérité.

– Est-ce le prince Ranga qui me rendra riche ?

– As-tu peur du prince ?

– Oui, dans mes rêves il prend la forme d'un serpent. Je n'aime pas cet homme.

– C'est pourtant le plus doux des hommes. Tu apprendras à le connaître.

– Tu comptes donc m'abandonner à lui...

– Pas t'abandonner... Te confier à lui, pour qu'il t'élève comme une princesse.

Amiya se mit à pleurer. Trois-Yeux lui caressa les cheveux et se garda bien de lui dire que le prince comptait faire d'elle une devadasi, une danseuse alanka, que les gourous préparaient au métier de courtisane.

– Ne pleure pas. Bientôt, tu seras la nouvelle étoile de Bénarès.

Les jours se poursuivirent, monotones, plus angoissants au fur et à mesure que l'échéance approchait. Amiya subissait son sort. S'instruire, encore et toujours. Elle se souvenait d'un temps où elle ne remplissait pas son crâne de concepts religieux et de vérités historiques, de savantes techniques amoureuses et de formules magiques. Avant, sa vie se limitait à faire des pains, à puiser de l'eau, à balayer, laver le linge, recoudre, à adresser de courtes prières aux dieux et à honorer son père et sa mère.

Si son père n'avait pas été emporté par la maladie, elle aurait suivi la voie de Hila et de Mili, se serait mariée, aurait eu un bébé qu'elle aurait marqué d'un point noir sur le front pour empêcher les mauvais esprits d'entrer en lui. Elle accomplirait les gestes essentiels d'une mère au foyer, veillant à laisser une lumière allumée dans la maison pendant la nuit, ne demanderait pas du sel à ses voisins après sept heures du soir. Tous les mardis et les vendredis matin, elle ratisserait la terre devant chez elle avec de la bouse de vache diluée dans de l'eau, puis elle dessinerait un kolami avec de la chaux blanche, en signe de bienvenue.

Amiya songeait à ces bonheurs simples perdus à jamais et elle contemplait tristement ses mains ; il n'y avait pas de bague au second doigt.

Et elle ne croyait pas qu'un prince la lui passerait. Elle était promise à un noir avenir.

Les vingt hommes étaient allongés sur le sol, les membres attachés. Un anneau cerclait leur cou. Ils ne pouvaient pas bouger ; la terreur déformait leurs traits. Plusieurs urinèrent sur eux lorsque les trompettes mugirent et que la terre se mit à trembler. Ils virent les éléphants menés par les cornacs ; l'un d'eux hurla quand la patte de l'un des pachydermes se leva au-dessus de lui. Le pied de l'animal retomba sur sa tête, la faisant éclater comme une noix de coco. Tous les hommes attachés subirent le même sort, puis les éléphants se retirèrent majestueusement, sur une seule ligne.

– Ainsi périssent les traîtres ! clama un personnage chamarré d'or.

Dressé sur son cheval, il inclina sa tête en

direction de la brillante assemblée qui avait assisté à l'exécution publique, puis il rejoignit les rangs de la noblesse sikhe, à laquelle il appartenait.

Le prince Ranga déglutit. Il n'avait pas apprécié cette cruelle démonstration de pouvoir et se languissait de retourner à Bénarès, dans les raffinements de son palais. Cela faisait une semaine qu'il était à Lahore. Il avait été invité par la toute-puissante rani Jundan à passer les troupes en revue en compagnie des ministres, des chefs sikhs Laj Singh et Tej Singh et des commandants mercenaires Jean Allard, Guidi Ventura et bien d'autres aventuriers occidentaux.

L'héritier du trône du Pendjab, Dhulip Singh, avait été écarté du pouvoir. Il n'avait que sept ans et sa mère, la rani Jundan, veillait férocement à ce qu'il ne fût pas sous l'emprise des chefs militaires ou d'un ambitieux appartenant à la noblesse, voire d'un allié.

Le prince Ranga ne désirait pas s'attirer les foudres de la rani ; prudent et tenant à la vie, il n'approchait jamais le petit héritier.

Qui aurait pu croire que cette femme de trente-cinq ans à l'aspect fragile, fluette, dotée d'un regard si doux et d'un teint maladif, pouvait à tout instant décider de faire couper la tête de son Premier ministre ou de ses généraux, et ce sans le moindre état d'âme ? Des crimes innombrables jalonnaient son parcours. Les membres les plus influents de sa belle-famille et de sa propre famille avaient été assassinés sur ses ordres ; des amants d'un soir gisaient au fond des marais ; ses proches mouraient empoisonnés ; des centaines d'opposants étaient condamnés à la pendaison, à la décapitation, à l'écrasement sous les pieds des éléphants. La rani se repaissait littéralement du sang de ses victimes.

Pourtant, il lui arrivait de se promener dans les jardins moghols de Shalimar, accompagnée de poètes qu'elle écoutait chanter avec ravissement ; elle restait des heures assise sur les tombeaux des saints en rêvassant comme une adolescente amoureuse ; elle encourageait les miniaturistes à perfectionner leur art, les musiciens à composer des airs, les hommes les plus savants à étudier les sciences occidentales. La rani Jundan était un tyran éclairé.

Le prince Ranga reconnaissait l'intelligence de cette femme, mais il avait vu tant d'horreurs depuis son entrée au Pendjab qu'il se demandait s'il avait fait le bon choix en s'alliant avec elle.

Comment faire autrement ? Il était impossible de libérer l'Inde du joug des Anglais sans les sikhs. Ces derniers occupaient des territoires immenses, riches en matières premières et en hommes ; il n'y avait pas de meilleurs guerriers qu'eux sur le continent. Non, il lui était impossible de rompre l'alliance, il continuerait à apporter son aide financière à cette femme démon.

Le lendemain, on convia les alliés à une démonstration de force. Ranga fut impressionné. Trente-six mille soldats impeccablement rangés en carrés sous les drapeaux brûlaient d'impatience de se mesurer aux envahisseurs anglais et aux traîtres hindous engagés dans leurs rangs. Ils représentaient un cinquième de l'effectif total des troupes du Pendjab. Une autre armée, de même taille que celle-ci, était déjà en place sur la rive droite de la Sutlej, rivière servant de frontière sur une longueur de six cents kilomètres. Il suffirait d'un ordre de la rani pour envahir les provinces de Delhi faisant partie du protectorat britannique. Tout ce que souhaitait le prince Ranga, c'était que la guerre ne s'étendît pas le long du Gange ; il imagina en tremblant Bénarès en flammes, livrée au pillage, les temples détruits au canon, son palais dévasté...

Il jeta un œil sur ses voisins assis comme lui sur la tribune d'honneur, nonchalants dans leurs fauteuils couverts de soie, appréciant les boissons fraîches et les fruits proposés par les serviteurs, protégés de l'ardeur du soleil par l'immense dais pourpre et or dressé au-dessus de leurs têtes.

Les alliés et les invités de marque. Il y avait là des hommes et des femmes de toutes nationalités, vêtus pour la plupart à l'occidentale. Des médailles pendaient sur les torses des hommes, des colliers étincelaient sur les poitrines des femmes. Ils paraissaient confiants, sûrs de la victoire, de leur victoire, car à des degrés divers ils étaient responsables de la guerre prochaine. Ils s'arrêtèrent de converser quand les trompettes retentirent.

Cinquante éléphants de guerre et deux cents cavaliers franchirent la porte fortifiée de la capitale. En tête de cette impressionnante troupe, sur le plus gros des éléphants bardés de fer et de cuir, venait la rani Jundan, resplendissante dans un habit constellé de pierres précieuses. À ses côtés, son garde du corps personnel, un Prussien, fusil à l'épaule, scrutait l'espace.

Jundan balaya l'armée de son regard doux de faon. Quand elle arriva à hauteur des régiments d'artillerie commandés par un Américain et des Allemands, elle ressentit de la fierté. Huit cents canons équipaient les armées du Pendjab. Quatre cents étaient déjà en place sur la frontière. Son état-major comptait beaucoup sur l'artillerie.

À la vue de ces fûts d'acier poli et de ces gueules noires, la régente eut la certitude qu'elle gagnerait la guerre. L'Inde était un fruit mûr qu'elle s'apprêtait à cueillir. L'histoire penchait en sa faveur. Depuis une dizaine d'années, les révoltes se multipliaient contre la Compagnie des Indes. Les Indiens ne supportaient plus la concurrence des prix imposée par les Anglais, cause principale d'appauvrissement et de famine, ils rejetaient les idées colonisatrices qui mettaient en péril les traditions et les fondements de la religion. Des soulèvements populaires avaient été férocement réprimés par les Britanniques à Delhi, à Madras, à Surat, à Bénarès. Dans cette dernière ville, l'agitation était entretenue par le prince Ranga.

La rani le chercha du regard et le trouva parmi les invités installés sur la tribune d'honneur. Elle n'avait qu'une confiance relative en cet homme qui passait presque tout son temps dans les raffinements d'une débauche inspirée par le Kama-sutra.

« Joue-t-il un double jeu ? se demanda-t-elle. N'est-il pas un espion à la solde des Anglais ? »

Elle n'avait pas cependant de raisons valables pour l'accuser. Ranga avait participé à l'effort de guerre en lui faisant parvenir trois coffres d'or et de pierreries ainsi que mille chevaux. Néanmoins, elle se promit de le faire surveiller étroitement dans tous ses déplacements et au sein même du palais qu'il possédait à Bénarès.

Le prince devait y retourner pour recevoir Michel Casenove et permettre à ce dernier de rejoindre le Pendjab sans problème. Le visage du Français apparut à la rani. Voilà un homme en qui elle avait confiance ; il était l'un des rares à pouvoir assurer l'acheminement des armes et des munitions à travers le Pakistan, l'Iran, l'Afghanistan et la Russie si le conflit s'éternisait.

33

Duna Singh, le messager sikh envoyé par la rani Jundan, était un homme plein de ressources et de qualités. Il avait proposé de contourner Hyderabad par l'ouest vers Bombay. La route de la côte est menant à Calcutta n'offrait aucune garantie de sécurité, les sikhs étaient peu nombreux à s'être installés dans le golfe du Bengale. Les Anglais contrôlaient toute la partie est de l'Inde, englobant au nord la formidable chaîne de Mahabharat, dont les sommets s'élevaient à près de trois mille mètres, et le royaume de Darjeeling, enclavé entre la Chine et le Tibet. Ils tenaient aussi les grands fleuves du centre et les routes commerciales au sud.

Dans l'immédiat, ils devaient mettre le plus de distance possible entre eux et Hyderabad.

Ce voyage durerait donc un mois s'ils ne rencontraient pas de difficultés majeures. Dans le cas contraire, ils s'embarqueraient à Bombay, vogueraient jusqu'au village de pêcheurs de Thalat avant d'entamer la difficile traversée du désert de Thar qui les conduirait à la cité sikhe de Multan... Cette solution leur ferait perdre quarante-cinq jours supplémentaires. Dans un cas comme dans l'autre, rien n'était gagné d'avance. Arriverait tôt ou tard le moment où il faudrait franchir les lignes anglaises. Mais on n'en était pas encore là ; pour l'heure, les quatre cavaliers étaient excités par les promesses d'aventure, surtout Hiral, qui allait enfin pouvoir vivre comme un homme. Elle ne craignait pas la fatigue ; son entraînement de danseuse l'avait préparée à des efforts extrêmes ; elle ignorait la peur, dans ses transes aux côtés de Shiva elle avait vu se tordre des démons, des monstres et des spectres, elle avait survolé des enfers, des époques terrifiantes, des avenirs sans espoir. Se rendre à Bénarès puis à Lahore lui semblait une promenade. Ses trois compagnons valaient un bataillon.

Michel était un vétéran, Dhama un éclaireur magicien. Quant à Duna Singh, pisteur et espion, il ne s'engageait jamais au hasard sur un chemin.

– Demain soir, nous dormirons à Karli, dit le sikh après avoir longuement scruté l'horizon.

Karli... Ce nom sonnait comme une légende. Hiral demeura songeuse. Les cavernes de Karli, soit l'un des endroits les plus mystérieux de l'Inde. Son visage s'assombrit ; un événement se produirait là-bas et il n'était pas de bon augure. Du fiel monta à sa bouche, une douleur à l'estomac la fit se plier sur la selle, puis le malaise disparut en une fraction de seconde. Elle regarda ses trois compagnons ; eux n'avaient rien ressenti : elle ne leur en parla pas. Elle préféra invoquer tout bas Shiva.

Il avait suivi le fleuve depuis Tanjore, où il avait discrètement enquêté sur la disparition de Bikram le Dravidien. L'officier et ses hommes avaient été tués et jetés dans une fosse commune creusée pour les pestiférés et les vérolés. Il n'en éprouva aucune haine, aucune compassion. Ces hommes avaient échoué et étaient indignes de se réincarner.

Infatigable, mû par les forces occultes de la déesse qu'il servait, lié par le serment magique à la princesse qui avait été élue à la tête de la secte, poussé par la haine qu'il vouait aux ennemis de l'Inde, Lankesh le thug ressemblait à un saint homme, mais il n'en portait pas le nom. Lankesh venait de Lanka, terme attribué au démon Ravana. Il n'était pas nu comme la plupart des saints, mais vêtu d'une blouse brune et d'un pantalon de coton grossier, et chaussé de solides sandales à lanières épaisses. Un sac de jute contenant des provisions pendait en bandoulière sur son flanc, il s'aidait d'un bâton noueux pour marcher. Il n'attirait pas les regards. Un être ordinaire se déplaçant parmi des êtres ordinaires. Ils étaient des milliers ainsi, sur la route de Bombay. La ville était le but ultime ; ils espéraient y trouver du travail, manger à leur faim, prier des dieux plus cléments.

Lankesh avait bien vite compris que les quatre maudits n'avaient pas l'intention de se rendre à Bombay. Ils s'étaient arrêtés à Pune, où ils avaient acheté des vivres avant de bifurquer vers le nord-est en s'enfonçant dans les collines.

Et maintenant, de la position qu'il avait établie, il distinguait les brasillements de leur feu de camp. La nuit le rassurait. Elle appartenait à Kali la Noire. On lui avait dit qu'il n'y avait pas de temple dédié à la déesse dans cette partie du monde qui était sous l'influence des impies musulmans, des barbares parsis, des orgueilleux bouddhistes, des stupides jaïns, des hérétiques portugais et de la vermine anglaise. L'absence d'un sanctuaire ne le gênait pas outre mesure. Il lui suffisait d'appeler plusieurs fois : « Kali... Kali... Kali... », de répéter le nom sacré comme une litanie. Alors la déesse perçait les ténèbres et prenait possession de lui.

Il ne l'appellerait pas ce soir ; les étoiles qu'il voyait dans le ciel ne lui étaient pas favorables.

Ils avaient mangé silencieusement les pains plats et bu le thé chaud. Dhama rangea la bouilloire de cuivre, puis recouvrit les cendres de terre, vérifia les sangles des deux mules transportant les bagages avant de monter à cheval. Les bêtes renâclèrent quand Michel leur commanda d'avancer. Depuis la veille, elles avaient un comportement nerveux.

Le sikh était parti en éclaireur. Hiral se tenait fière sur sa selle ; elle avait enroulé ses cheveux en un chignon maintenu par de longues aiguilles. Sous ce casque d'obsidienne, son visage altier défiait le soleil levant. L'aventure l'excitait ; elle se comparait aux héroïnes guerrières des Veda. Elle huma l'air plein des odeurs de manguiers, de pipals, des figuiers, d'essences subtiles. Des milliers d'arbres différents couvraient les collines et comblaient les vallées. La nature généreuse s'épanouissait sous le ciel limpide ; les oiseaux chantaient sa beauté.

Hiral ne se fiait pas aux apparences.

Des dangers rôdaient dans ce magnifique paysage. Des tigres, des cobras, des araignées venimeuses guettaient leurs proies. Les petits serpents furzen dont le poison tuait avec la rapidité de la foudre pullulaient dans cette région ; il y avait aussi les bandits dacoïts, qui détroussaient et égorgeaient les voyageurs.

Et il y avait autre chose... Cette autre chose qu'elle avait perçue la veille. Hiral se tendit.

Une onde mortelle passa sur elle, aussi froide que le souffle d'un spectre.

Elle eut la sensation qu'un démon caché sous les frondaisons les épiait. Elle fouilla du regard les alentours, ne découvrit rien pour justifier son alarme. Elle talonna son cheval. Shiva veillerait sur eux.

Avant d'entrer au service de la rani Jundan, le sikh avait été aux ordres de Ranjit Singh, le grand unificateur du Pendjab. Durant les dernières années de règne du conquérant, il avait été utilisé comme espion, effectuant des missions sur tout le continent. Il s'était même rendu à Istanbul et au Caire pour mettre en place des réseaux. Aujourd'hui, les agents à la solde des sikhs se chiffraient par centaines et formaient une toile s'étendant de l'empire turc à l'empire du Milieu.

Duna était fier d'appartenir à cette caste secrète. Il connaissait bien des aspects de la politique indienne, qui dépendait en partie d'hommes comme lui. Il ne doutait pas de son rôle bienfaisant. Sa foi dans la libération de l'Inde était aussi grande que sa foi en dieu. Les sikhs croyaient en un dieu unique, Ik Ong Kar.

Duna invoqua son dieu ; il éprouva le besoin de sentir sa présence quand le site de Karli fut à portée de vue. Il entendit un galop. Portant la main sur la crosse du fusil placé sur le devant de la selle, il se retourna puis se détendit. Ce n'était que Dhama.

– C'est Karli ? dit le moine en découvrant la montagne pelée.

– Oui, tu vas pouvoir parler à ton Bouddha.

Dhama haussa les épaules. Ce haut lieu bouddhiste ne le ferait pas changer d'avis. Il avait rompu avec Bouddha bien des années auparavant, renonçant aux « Quatre Vérités » et au « Noble Octuple Sentier » ; le temps où il prononçait ses vœux lui était étranger. « Je prends refuge dans le Bouddha. Je prends refuge dans la Loi. Je prends refuge dans la Communauté... »

Il désirait vivre pleinement sa vie sans se soucier de son devenir cosmique ; en cela, il était proche du bouddhisme des premiers âges, essentiellement athée et agnostique, qui demandait simplement aux hommes de vivre d'une manière éthique, mais ceux-ci, au fil des siècles de schismes, de contacts avec d'autres religions, l'avaient dénaturé. Des bouddhas assimilés à des dieux régnaient désormais sur des paradis et des enfers.

– Cet endroit ne me paraît pas propice au recueillement, répondit-il.

La vue de Karli lui hérissait le poil et le remplissait d'amertume ; il estima avoir perdu les plus belles années de sa vie en observant la règle monastique contenue dans les dix prescriptions négatives : ne pas distraire la vie ; ne pas voler ; ne pas forniquer ; ne pas mentir ; ne pas user de boissons fermentées ; ne pas manger en dehors des heures prescrites ; ne pas se réjouir ostensiblement ; ne pas attacher d'importance aux parures ; ne pas utiliser de lit ou de siège élevé ; ne recevoir ni or ni argent.

Il eut un sourire narquois pour lui-même. Depuis son départ du monastère, il n'avait respecté aucune des dix prescriptions.

– Pourquoi souris-tu ?

– Je ne suis plus bouddhiste et je plains ceux qui le sont.

– Tu t'es converti à une autre religion ?

– Non, je préfère demeurer libre.

– Alors je prierai pour toi.

– Inutile. Je ne connais pas ton dieu et il ne me connaît pas.

– Ik Ong Kar est partout et il connaît chaque atome de ta chair, chaque parcelle de ton esprit.

Dhama ne savait rien de ce dieu dont le nom signifiait « une seule [ik] conscience créatrice [ong] manifestée [kar] ».

– C'est toi qui le dis, persifla Dhama.

Le sikh n'en fut pas irrité. Son visage s'adoucit. Il éprouvait de la compassion pour ce moine qui avait perdu la foi. Sa voix monta comme une litanie :

– Nous croyons en un seul dieu suprême, absolu, infini, l'Éternel, le Créateur, la Cause des causes, sans inimitié, sans haine, à la fois immanent et transcendant. Vois-tu, Dhama, il n'y a pas chez nous de péché originel, la vie émane d'une source pure, le Seigneur de Vérité demeure en elle. Nous naissons pour rendre service à l'humanité et engendrer la tolérance et la fraternité vis-à-vis de tous...

– Pourtant vous vous montrez féroces à la guerre !

– C'est vrai. Il est nécessaire de se battre avec toute l'énergie requise quand les causes sont justes. Toute notre foi est contenue dans ces vers : « Ô mon âme, tu es l'incarnation de la lumière,/Comme ton essence./Ô mon âme, le Seigneur est toujours avec toi,/À travers la parole du Gourou, je jouis de son Amour,/ Connaissant ton Essence, tu connais ton Seigneur,/Et tu connais le mystère de la vie et de la mort... »

Un silence se fit. Dhama médita ces paroles. Une mer chaotique de pierres s'étendait devant eux, surplombée par la montagne couronnée de gigantesques rochers. Là-haut s'ouvraient les cavernes et plus bas, à l'est, caché par les arbres, se trouvait le grand chaitya.

Le sikh avait prévu de dresser le campement dans le monument retiré.

Il fit avancer son cheval sur le chemin escarpé. Dhama lui laissa prendre de l'avance.

La mort rôdait dans le coin.

– Alors ? Rien à signaler ? demanda Michel en arrivant avec Hiral et les mules.

– L'endroit me paraît hanté...

– Tant mieux. Je préfère affronter les fantômes que les humains.

– Il a raison, dit Hiral. Ces cavernes emprisonnent des âmes... Mais je ne crois pas que le danger viendra d'elles.

– D'où viendra-t-il, alors ?

– Je ne sais pas.

Un tigre feula dans le sous-bois derrière eux. Des vautours quittèrent les hauteurs et se mirent à faire des cercles au-dessus d'eux. Les trois cavaliers entamèrent la montée.

34

Assis en tailleur sur la terrasse du jardin dominant Bénarès, le corps et le visage colorés de rouge, les yeux clos, le prince Ranga écoutait les chants licencieux en l'honneur de Krishna et de Kama. Un ashoka aux feuilles frissonnantes étendait son ombre sur le prince : ses fleurs rouges, symboles de l'amour ardent, frémissaient sous les caresses du vent venu du Gange. Quelques-unes, cueillies par les mains des vierges du palais, flottaient dans une bassine d'argent remplie d'eau sacrée.

Ranga respirait lentement, pleinement. Il se sentait bien dans sa cité. Il avait laissé ses peurs à Lahore. Ici, au sein de ces murs protégés par trois cents gardes, deux douzaines de gourous aux pouvoirs surnaturels et les dieux de la cité sainte, il se sentait à l'abri de la rani Jundan et de la voracité des Anglais.

Ranga ouvrit les yeux, prit une fleur et la croqua, puis à l'aide d'un gobelet il but un peu d'eau. Ce geste, il le referait en avril, en l'honneur de Vishnou. On était à la mi-mars, mois de phalguna, jour de la pleine lune dédié à Krishna et Kama. La fête du holi battait son plein.

Un jeune prêtre entra dans l'ombre de l'arbre et, sans dire un mot, étala un morceau de tissu rose vif devant le prince. Il y versa une pluie de pierres précieuses rouges ; elles représentaient le sang des hommes apportant la vie et le désir d'amour.

Ranga glissa ses mains dans le tas de pierres, les ramena pleines à hauteur de ses yeux et laissa les gemmes cascader. Les tourmalines, les almandins, les pyropes, les rubis, les corindons, les jaspes et les grenats crépitèrent.

Il oublia la proximité de la guerre, il oublia la politique, il oublia qu'il était un homme. Et il se prit à croire qu'il était l'égal de Krishna et de Kama.

Il étendit ses bras pour emprisonner la ville, le fleuve et l'horizon. Tout lui appartenait.

– Que soient loués les trois buts de la vie, clama-t-il, la vertu, la prospérité et l'amour !

Étrange phrase dans sa bouche : il était prospère, il aimait l'amour, mais il était le contraire d'un homme vertueux. Il avait toujours refusé le mariage, qui aurait donné de lui une image conforme à ce qu'attendaient le peuple et les autres souverains. Il rejetait toutes les propositions d'alliance par le sang. On lui attribuait certes quelques bâtards, mais cette engeance non reconnue ne comptait pas. Il avait décidé que sa lignée mourrait avec lui. Le jour venu, il prendrait ses dispositions concernant son héritage. Mais il n'en était pas encore là. Sa vigueur n'avait d'égale que celle des dieux.

Il déplia ses jambes, se leva et marcha jusqu'au muret rasant le faîte des toits plats. Se penchant, il contempla avec ravissement la rue en liesse. En contrebas, peints en rouge et s'arrosant d'une eau teintée de la même couleur, les disciples de Krishna dansaient, frappaient du tambourin et jouaient de la flûte. Une statue en bois du dieu était promenée sur un char tiré par un bœuf. Elle était bleu foncé et entourée de statuettes figurant les gopis, les mille maîtresses de Krishna.

Ranga se vit au milieu des jeunes gopis amoureuses et lascives, donnant leur corps sans compter et leur cœur en entier. Il avait en partie réalisé ce rêve érotique. Poussé soudain par le désir, il retourna dans l'une des salles d'agrément, où les servantes préparaient des palis, petits gâteaux qu'on brûlerait dans un feu de joie le soir même. Satisfait de voir avec quel empressement elles s'activaient à la tâche, il se rendit dans la salle de musique, suivi par le chambellan, un homme replet aux allures de fouine, soucieux de réaliser le moindre de ses désirs.

– Que les danseuses et les courtisanes s'apprêtent et viennent me divertir ! lança Ranga.

– Toutes, Altesse ?

– Oui, toutes. Les vierges acquises ces derniers temps rendront aussi hommage à Krishna et à Kama.

Le chambellan ne discuta pas les ordres de son maître. Il ne les discutait jamais. Il partit rameuter ses aides. Ranga pouvait se montrer extrêmement cruel quand il se prenait pour un dieu.

Depuis trois semaines, Amiya vivait dans une annexe du palais située près du temple. C'était un espace transitoire entre les mondes spirituel et temporel. Il y circulait beaucoup de personnes. Amiya n'avait cependant pas le droit d'en franchir les limites, ni de s'adresser à quelqu'un. Les eunuques et les gardes veillaient à ce que les vierges restent entre elles. Elles étaient au nombre de douze, réparties par groupes de trois dans des pièces exiguës, sans confort. Elles pouvaient toutefois converser entre elles en dehors des séances d'entraînement éprouvantes que leur faisaient endurer les gourous du temple.

Amiya se cantonnait dans le silence. Elle ne s'adressait que rarement aux autres, ressassant avec amertume le parcours qui l'avait conduite jusqu'à ce palais de lumière. Trois-Yeux l'avait livrée comme une vulgaire marchandise et abandonnée entre les mains d'un gourou qui servait Shiva et le prince Ranga. Elle lui avait donné quelques recommandations tout en promettant qu'elle reviendrait vite, puis, furtive, elle était sortie du temple, laissant sa protégée tremblante.

« Elle m'a trahie, songea Amiya. Elle qui disait être ma seconde mère... »

Bien des jours et des nuits avaient passé depuis leur séparation. Amiya n'avait pourtant pas à se plaindre. On l'avait vêtue comme une fille d'une caste supérieure à la sienne;

l'eunuque de son groupe veillait à son confort et à sa santé. Il était tatillon sur les questions d'apparence et de propreté et n'admettait aucun écart sur ces principes, ce qu'il s'appliquait à faire comprendre à ses jeunes pensionnaires, à coups de baguette sur leurs parties charnues. Jusqu'à ce jour, Amiya n'avait jamais reçu de correction, ni été punie d'aucune autre manière. Trois-Yeux, clairvoyante, l'avait préparée à cette discipline.

Amiya quitta sa natte. Dans la pièce voisine, commune à toutes les vierges, il y avait de quoi lire, broder, des bouts de métaux à limer, de quoi s'exercer aux échecs, à la prestidigitation et aux soixante-quatre formes d'art indispensables quand on désirait devenir une grande courtisane. Mais Amiya n'avait nulle envie de tester ses talents avec les autres.

Elle se rendit dans le coin où les fillettes et les adolescentes se bousculaient.

– C'est à mon tour !

– Non, à moi !

– Lève-toi de là, cafard !

– Que Kali mange ton foie !

Il se livrait une bataille pour la possession d'un minuscule espace.

– Tu es venue admirer tes boutons ? lui glissa une fille au visage chafouin.

Amiya ne répondit pas à l'insulte. Trois-Yeux lui avait appris quelques petits trucs pour se sortir des situations délicates. Deux de ses doigts frappèrent violemment l'importune à la poitrine, lui coupant le souffle ; elle tomba à genoux, toussant et crachant. Amiya sourit. Le miroir était enfin à elle pour une poignée de secondes. Les autres vierges ne tentèrent pas de lui ravir la place ; elles se contentèrent de grommeler des choses concernant les démons qui prenaient possession des êtres humains.

Amiya se contempla, se trouva pâle mais pas amaigrie. Les muscles de son visage se contractèrent. Elle se demanda si le miroir n'avait pas un défaut. Il y avait un léger renflement au niveau de sa poitrine. À cet endroit, la veste courte et ajustée qui laissait son nombril à l'air ne faisait aucun pli mais se boursouflait légèrement.

Comme elle ne voulait pas se ridiculiser devant les autres, elle préféra se retirer et retourner dans la pièce qui lui était attribuée. Par chance, il n'y avait personne. Elle examina aussitôt sa poitrine, la palpant. Une rougeur monta à son front.

Sa poitrine poussait...

Tous les matins, juste après le lever du soleil, l'eunuque les emmenait dans la partie du temple où se trouvaient les gourous. Chaque gourou avait sa chapelle. Dès qu'elles arrivaient, elles saluaient d'abord le Tout-Puissant en joignant la paume des mains au-dessus de leur tête, puis le gourou en mettant les mains devant leur front et enfin le public fictif en répétant le geste sur leur poitrine. À la fin de ce rituel immuable, le gourou s'emparait de son bâton tattu mettu et l'exercice pouvait commencer.

Le gourou avait son bâton bien serré dans le poing mais il ne frappa pas le sol. Il contempla ses trois élèves d'un regard acéré puis lâcha :

– Pas de leçon aujourd'hui. C'est la fête du holi !

Elles se réjouirent.

– Attendez ! dit-il. Vous participerez bientôt à part entière à la fête du holi. Méditez sur cet extrait du Kama que vous devrez maîtriser à la perfection : « La première des huit morsures amoureuses est la morsure secrète ; vous la pratiquerez avec délicatesse car elle doit laisser sur la peau une rougeur à peine visible. Juste avec la seule pointe d'une dent, elle excitera la lèvre inférieure de votre amant. » Vous pouvez vous retirer.

Les drôles de mots du gourou s'étaient déjà envolés. C'était la fête du holi, l'une des plus célébrées de l'année. Les échos de la ville en effervescence se répercutaient dans les coins les plus reculés des temples et des palais. L'eunuque les autorisa à changer de vêtements. Luxe inouï pour ces filles issues de famille modeste, elles avaient chacune trois saris à leur disposition et autant de foulards et de brassards. On leur avait aussi attribué une servante. Celle qui s'occupait d'Amiya était une Népalaise bourrue et sans grâce, nommée Chitrita. Elle pointa son museau poilu quand Amiya revint et déposa un paquet à ses pieds.

– Quand tu te seras lavée, je viendrai t'aider à t'habiller et à te maquiller.

– On va à la fête ?

– En quelque sorte... toutes les vierges iront à la fête, répondit Chitrita.

Amiya regarda avec perplexité la servante dont la démarche chaloupée évoquait celle des femmes faciles se vendant dans les bouges de Bénarès. La comparaison s'arrêtait là. Mis à part ce langoureux balancement des hanches et du postérieur, la Népalaise était un sérieux repoussoir. Son visage carré était couvert de boutons, des poils ombraient ses joues et son menton. Sa bouche édentée, ses yeux chassieux, son cou épais et ses mains crochues n'étaient pas faits pour le désir et le plaisir.

Chitrita ne voulait surtout pas être désirée. Sectatrice du dieu Bhishma, « Celui qui est terrible », elle se pliait aux règles du sacrifice de soi, de la dévotion, de la fidélité et de la chasteté. Elle considérait ses tâches dans le temple et le palais comme des épreuves salutaires pour son âme car elle haïssait les mœurs dépravées du prince et les prêtres décadents qui le servaient. Elles promettait des enfers aux courtisanes, aux danseuses, aux gourous, à tous les gens marqués par le vice. Le soir, quand elle s'allongeait sur sa natte, durcie par ces épreuves, elle remerciait Bhishma avant de sombrer dans des rêves amers.

Pour l'heure, elle observait Amiya. Elle ne donnait pas une chance à cette petite paysanne. Sa survie dans les rangs des danseuses prostituées n'excéderait pas quelques mois. On voyait bien qu'elle n'était pas faite pour une vie de débauche. Elle se laisserait mourir, comme bien d'autres avant elle.

Des canaux alimentaient les bassins, les vasques et les massifs fleuris des cinq jardins séparant le temple du palais. Un haut mur masquait la ville. À l'abri des regards masculins, les femmes se lavaient dans les bassins. Pourtant, aucune n'était nue. Amiya enleva seulement le collier clinquant de fausses perles qu'on l'obligeait à porter en permanence avant de pénétrer dans l'eau en sari. Il y avait des savons d'Alep sur la margelle de marbre ; elle en prit un, le soupesa. C'était un privilège que de pouvoir se savonner avec ce cube brun sentant l'huile d'olive. Jamais aucun savon n'était parvenu à Aunrai. Elle débarrassa ses habits et sa peau des poussières et des miasmes ; elle plongea plusieurs fois son visage et ses cheveux dans l'écume bleuie. Elle recommença à frotter toutes les parties de son corps avec acharnement, mais il n'était pas possible de laver son esprit et son âme des souillures introduites par Trois-Yeux et les gourous. Elle était piégée dans ce lieu idyllique et elle ne savait pas comment en sortir. Cette seule pensée lui aurait valu vingt coups de bâton ; sa mise à exécution, pire encore. Il lui aurait été si facile de se plier aux exigences de ses nouveaux maîtres, si facile d'être une Indienne dans l'âme, forgée dès la naissance à dire oui à tout, à servir sans discuter les hommes et à craindre la colère des dieux. Eh bien, non ! Elle était Amiya la Délicieuse, Amiya la Rebelle, Amiya, qui voulait bouleverser l'ordre des choses au mépris de sa vie.

La main brune et sèche de Chitrita la ramena à la réalité.

– Assez pataugé ! Il faut te changer à présent ! aboya la Népalaise avec l'accent rauque et inimitable des montagnards. Je vais t'apprêter pour le holi.

Tout habillées de rouge, de gaze, de voiles transparents, de soie plus fine que des ailes de papillon, les danseuses poudrées virevoltaient autour du prince Ranga à demi couché dans des épaisseurs de coussins et de matelas moelleux. Un jeune serviteur au crâne rasé actionnait une corde reliée à l'axe d'un tapis en osier pendu au-dessus du prince, un air rafraîchissant tombait de cette aile agitée d'un lent mouvement. Ranga avait la bouche entrouverte, l'œil brillant. La musique accélérait ses gammes. Elle entraînait crescendo les jeunes filles à enchaîner des mouvements rapides et complexes. Aucune n'avait le niveau nécessaire pour atteindre la perfection de l'art sacré. La plus âgée avait dix-sept ans. Ranga ne supportait pas de les voir vieillir ; il les renvoyait servir dans les temples de Shiva dès qu'elles perdaient leur apparence innocente et juvénile. Les rôles d'amoureuses enfiévrées étaient réservés à des danseuses confirmées qui avaient plus de trente ans.

Les petites danseuses faisaient de leur mieux. Comment auraient-elles pu traduire les huit états de l'héroïne par des gestes et des émotions qui faisaient appel aux expériences personnelles et à au moins vingt ans d'entraînement ? Ou montrer qu'elles étaient désespérées par l'absence de leur amant, que le manque d'amour les faisait souffrir, qu'elles regrettaient d'avoir cherché querelle à l'homme qu'elles aimaient, qu'elles souffraient à en mourir parce qu'elles s'étaient trompées, qu'elles désiraient retrouver leur héros à n'importe quel prix...

Le héros du jour, Ranga, n'était pas aussi dur et difficile que les gourous. Il se satisfaisait pleinement de cette chorégraphie, de la vue de ces fruits verts, de ces visages innocents s'appliquant à transmettre des émotions d'adultes.

Le prince dressa un sourcil.

Le tintement de la clochette ne venait

pas de l'orchestre ; il précédait la venue des eunuques et des douze nouvelles vierges introduites au palais quelques semaines auparavant. Le prince les regarda venir. Elles avaient l'air gauche, baissaient la tête. L'une d'elles était plus réservée que les autres, on eût dit un animal aux abois. Ranga reconnut la protégée de Trois-Yeux. Une merveille... D'un crochet du doigt, il la fit venir et lui désigna un coussin.

– Assieds-toi, Amiya.

Amiya fut surprise. Il se souvenait d'elle. Cela l'effraya. Comment allait-elle pouvoir échapper à l'emprise de cet homme ? Il la dévorait du regard, appréciant la candeur et la fraîcheur révélées par les vêtements diaphanes qu'elle portait.

Trois-Yeux ne l'avait pas trompé sur la marchandise ; elle valait bien les droits accordés à la sorcière et les cent pièces d'or dépensées pour son achat. Bien sûr, il aurait pu l'avoir pour rien en l'enlevant, mais ce n'était pas dans ses pratiques. Et il était par nature méfiant. Cette Amiya avait été repérée puis formée par Trois-Yeux, dont la puissance magique égalait celle des moines mystiques du Tibet, des juifs kabbalistes, des conjurateurs arabes et des célèbres chinois invocateurs de démons. Il ne tenait pas à goûter aux supplices de l'enfer. En s'attachant Amiya, initiée par Trois-Yeux, il comptait bien s'approprier des pouvoirs occultes.

Amiya frissonna lorsqu'il lui prit la main.

– « Où va la main, va l'œil ; où va l'œil, va l'esprit ; où va l'esprit, le sentiment s'éveille et, lorsque le sentiment s'éveille, naît le goût », lui dit-il.

35

Hiral descendit de cheval et s'approcha de la colonne aux lions. Tout en se concentrant, elle se mit à la palper de la main gauche et il lui vint ces paroles étranges :

– « Où va la main, va l'œil ; où va l'œil, va l'esprit ; où va l'esprit, le sentiment s'éveille et, lorsque le sentiment s'éveille, naît le goût. »

Ses trois compagnons la regardèrent, étonnés. On aurait dit que ce n'était pas elle qui formulait ces mots. Les quatre lions, grandeur nature, étaient assis dos à dos. La main de l'Étincelante s'arrêta sur l'une des gueules. Sur les côtés de la colonne s'élevaient des statues gigantesques d'hommes et de femmes appartenant à un temps révolu. Dans le fond, une arche supportait trois éléphants et au-delà s'étendait le temple, dont les quarante-deux piliers soutenaient le toit en forme de coupole. Une galerie courait tout autour.

L'esprit de Hiral s'y attacha. Alors revint ce sentiment de danger qu'elle éprouvait depuis leur approche de Karli. Plus fort que les fois précédentes. Dhama ressentit la même chose ; il descendit à son tour de cheval, prit son fusil et l'arma. Il y avait une sorte de fenêtre en fer à cheval d'où tombait la lumière, éclairant une statue à tête de buffle sur un corps d'homme estropié.

Michel connaissait l'instinct de son lieutenant et les dons prémonitoires de Hiral. Il porta la main à son sabre.

– As-tu repéré quelqu'un ? demanda-t-il à Dhama.

– Pas vraiment, répondit le moine.

– Qui est ce dieu ?

– Dharmaraja, Yamaraja, dit sourdement Dhama. Enfin je crois.

Il n'en était pas sûr car il n'avait jamais vu de représentation de cette divinité au Tibet et au Népal. Il en avait lu des descriptions sur des rouleaux de parchemin.

– Oui, c'est bien lui, finit-il par admettre. Je reconnais ses attributs.

Le lacet, le bâton, la hache et le poignard,

sculptés sur l'un des bas-reliefs entourant le socle.

– Je n'aime pas cette rencontre, dit Hiral.

– Je te comprends, reprit Dhama. Vous avez devant vous le roi des morts et des enfers bouddhiques. Le Suprême Juge qui rend ses sentences avec l'aide de son assistant Chitragupta et de huit autres rois des enfers et de leurs secrétaires. J'espère qu'ils n'auront pas à nous juger cette nuit.

Le sikh rompit le sortilège qui les liait au buffle infernal :

– Assurons-nous qu'il n'y a personne d'autre ! dit-il en sortant le poignard qu'il portait en bandoulière.

Ils visitèrent le temple et les alentours, puis ils décidèrent de camper dans la partie hindouiste, près de la pierre angulaire où un lingam de Shiva dans son aspect de force purificatrice se trouvait à l'abri d'une petite chapelle. Tout autour de ce refuge, des statues colossales masculines s'appuyaient sur des nains.

– L'endroit est favorable, dit Hiral en entrant dans la chapelle.

Le lingam confirmait ce qu'elle sentait. Shiva était présent. Une vibration imperceptible émanait de la verge sacrée, source d'une puissance incommensurable.

– Hum, fit Dhama. Je préférerais dormir au village le plus proche. Ce temple est un véritable piège. Qu'en penses-tu, Michel ?

Jusqu'à présent, Michel n'avait pas pris de position nette. Il ne portait pas le même regard que ses compagnons sur les vieilles pierres ; il n'avait jamais été la proie de spectres et de démons ; certes, lors de ses pérégrinations, il avait assisté à des phénomènes étranges, à des manifestations surnaturelles, à des guérisons extraordinaires, aux démonstrations de la magie, blanche ou noire, mais il n'était pas né sur ces terres où se multipliaient les prodiges, il venait d'un continent dominé par l'esprit rationaliste. Il se tourna vers Duna. Le sikh avait tout inspecté, fouillant les recoins les plus éloignés, les moindres cachettes. Il n'y avait trouvé que dcs rats et des serpents.

– Vous créez des dangers là où il n'y en a pas, répondit-il. Vous n'avez aucune raison de vous inquiéter. Duna a toujours fait les bons choix depuis que nous sommes partis de Tanjore. Hyderabad est à dix jours de cheval dans notre dos ; nous n'avons subi aucune attaque. Personne ne se doute que nous sommes ici. Retourner au premier village et reprendre la route principale ne me semble pas une bonne chose. Les Anglais auraient vite fait de nous repérer. Attendons d'être en vue du Gange avant de nous mêler aux voyageurs et aux pèlerins. Des centaines d'étrangers empruntent les voies commerciales qui vont de Calcutta à Delhi. Quand nous serons proches de Bénarès, nous passerons presque inaperçus. En attendant, faisons comme d'habitude, allumons un bon feu, remplissons-nous l'estomac, assurons un tour de garde et installons-nous pour dormir. Nous avons tous besoin de repos.

Le pragmatisme eut raison des craintes de Hiral et de Dhama. Une heure plus tard, assis autour du feu crépitant, ils ne pensaient plus aux fantômes de Karli.

Les volutes de fumée bleutée montaient, sinueuses, en harmonie avec les courbes des sculptures. Les braises mourantes palpitaient comme des cœurs, à l'unisson des étoiles. Une clarté venait de ce ciel où se diluaient les fumées. Elle nimbait le temple d'une aura irréelle. Sous les regards des statues géantes, Michel écoutait les respirations de ses compagnons enroulés dans leurs couvertures. Ils dormaient à l'entrée du petit temple dédié à Shiva. Par moments,

Dhama et Duna ronflaient. C'était rassurant.

Michel avait pris le dernier tour de garde, remplaçant le sikh. Il contempla Hiral et sourit. Elle avait demandé à assurer le premier tour de garde ; il avait refusé, provoquant son indignation et un flot de reproches tel qu'il avait fini par céder. Elle était têtue, fière, courageuse, vindicative, et il l'aimait ainsi. Il n'aurait pu s'attacher à une femme qui n'était pas son égale. Il la vit s'agiter, il ne s'inquiéta pas. L'Étincelante ne dormait jamais tranquillement.

Dans son rêve, Hiral dansait sur un parterre de fleurs pourpres et jaunes. La musique venait d'un ciel de cristal, des spectateurs en nombre considérable, assis sur des trônes d'or, la regardaient évoluer. Shiva, sous ses mille huit aspects.

À un moment, entraînés dans un tourbillon de lumière aveuglante, les mille huit dieux s'assemblèrent en une seule forme et Shiva se dressa, invincible, drapé de sa peau de tigre, le croissant de lune dans les cheveux, portant le trident, et se mit à danser avec elle. Il toucha le sol de son arme. Un lingam de feu en jaillit, immense, se perdant dans le firmament, identique à celui qui frappa toutes les créatures d'émerveillement au début des âges, quand Shiva, prenant l'aspect de Bhairava le Terrible, trancha la cinquième tête de Brahma.

C'était bien le Terrible qui, par des mouvements d'une grâce infinie et d'une force incommensurable, s'exprimait avec Hiral. La danse se poursuivait. Les âges se confondirent. Le temps se contracta, absorbant le passé, le présent et l'avenir, et les millions d'êtres peuplant l'au-delà retinrent leur souffle.

La destruction était en marche.

Le thug se coulait comme un serpent entre les statues. Il épousait leur ombre dans la nuit. Il avait attendu la venue des nuages et il remercia Kali de les lui avoir envoyés. À présent, la magie de la déesse masquait les étoiles ; Kali avait laissé se répandre une faible clarté qui permettait à son fidèle adorateur de se repérer.

Le thug faisait preuve d'une extrême prudence ; il se fondit entre les pattes de granit d'un éléphant. À vingt pas de lui, assis devant les restes calcinés d'un feu, celui qu'il était chargé de tuer luttait contre l'assoupissement. Visiblement, cet homme n'était pas sur ses gardes. Il ne fallait plus tarder. Jamais plus il n'aurait une meilleure chance d'accomplir sa mission.

Sa décision arrêtée, le thug se détacha de la sculpture. Ses pieds effleuraient à peine le sol ; il avait mis des années à améliorer sa furtivité, à se faire plus léger que son ombre. Il ne respirait plus, ne battait plus des paupières. Entre ses doigts, le lacet des meurtres rituels oscillait. Les thugs ne se servaient pas d'armes à feu et avaient très peu recours aux armes blanches. Ils n'utilisaient pas non plus les poisons ou les services des assassins professionnels. Les thugs étranglaient leurs victimes.

Michel n'eut pas le temps de réagir, ni de crier. Il sentit soudain l'étreinte mortelle de la corde huilée autour de son cou.

Shiva dans une colère soudaine l'avait projetée hors du rêve au moment où le thug bondissait sur sa proie. Hiral vit Michel se tordre, elle se précipita hors de sa couche et se rua vers le meurtrier avec une vitesse incroyable. Shiva était en elle. Elle frappa du talon la nuque du thug. Ce dernier lâcha Michel qui suffoquait et fit face à ce nouvel adversaire. Il n'était plus question d'accomplir un meurtre rituel mais de sauver sa peau. Il s'empara du kriss qu'il portait à la ceinture. Ce poignard redoutable avait déjà servi à saigner des ennemis ordinaires. Il entrerait facilement dans la chair tendre de cette danseuse maudite, de cette prostituée vouée aux enfers ! Il se fendit, la rata de peu, se ressaisit, zébra l'espace où elle se tenait, la manqua encore. Elle était plus rapide qu'un félin.

– Ne bouge plus ! ordonna une voix.

Le thug n'en fit rien et poursuivit le combat, cherchant désespérément à atteindre sa cible.

– Par Bouddha ! jura Dhama en braquant son fusil sur le thug.

Du coin de l'œil, le moine vit bondir le sikh à ses côtés.

– Laissez-le-moi ! cria Hiral.

– Non, tu vas te faire tuer !

– Personne ne peut tuer Shiva, répondit-elle en évitant une nouvelle charge de son assaillant.

– Hiral... Hiral...

À son tour Michel l'appelait, d'une voix affaiblie. Il se redressa, une main sur son cou, titubant sur ses jambes.

– Reculez tous ! ordonna-t-elle.

Ils obéirent, comprenant instinctivement

qu'elle était sous l'emprise d'une force surhumaine.

– Shiva est en elle, balbutia Dhama.

Michel voulait bien le croire. Il n'avait jamais vu Hiral dans un pareil état d'exaltation. Mais comment espérait-elle terrasser le thug ? Elle n'avait pas d'arme.

Le thug se posait la même question ; cette femme ne pouvait le tuer à mains nues. Cependant, elle avait évoqué Shiva. Face à ce puissant dieu, Kali s'était toujours inclinée. Shiva tenait l'univers, pliait la terre et le ciel à sa volonté, éteignait les étoiles, décidait du sort des espèces, domptait les démons, imposait ses lois aux autres dieux. Sans lui, rien n'existerait.

Le thug n'était pas homme à renoncer ; il avait été mis au monde pour détruire. Il redoubla d'efforts.

Elle dansait. Il n'y avait aucun doute possible. Hiral dansait, utilisant à la perfection la gestuelle des mains de la bharatanatya. Elle exprimait toutes sortes de choses, les rapports entre les êtres humains, les faits et les idées, les pensées et les perceptions. Elle affinait son art, l'affûtait comme une pointe de flèche.

Pataka ! fit l'une de ses mains, ce qui

pouvait signifier l'action de soulever une épée, de jurer, de manifester sa vaillance, tandis que l'autre main parlait de la tripataka, de l'éclair de la foudre, de la flèche et des forces qui s'élancent. Le thug avait connaissance de ce langage ; Michel et Dhama aussi.

Les mains construisaient les mots, donnaient vie aux pensées.

« Toucher les membres de l'ennemi »

« Maîtriser le feu »

« Souffle d'un vent puissant »

« Homme colérique »

« Menace »

« Vivacité du serpent »

« Griffes du tigre »

« Blessure »

« Arrêt du temps »

Le langage fabriquait les armes. Hiral sautait, reculait, tournait autour de l'assassin haletant dont le regard commençait à paniquer. Il la voyait tournoyer sur un pied, s'aplatir sur le sol, se détendre dans les airs ; il voyait ces maudites mains tisser son destin. Hiral le maintenait impuissant au centre de sa magie et Kali la Noire ne parvenait pas à juguler les effets de la danse sacrée.

– Kali ! Aide-moi ! cria-t-il.

Son appel se perdit dans les ténèbres du temple.

– Kali ! Kali !

Le thug glissait sur la pente du désespoir. De grosses gouttes perlaient sur son front. Ses lèvres tremblaient, ses forces diminuaient. Il renonça à se battre contre l'envoyée de Shiva ; son poignard cessa de fendre l'air. Il s'en remit à la volonté des dieux.

Dans l'instant les mains de Hiral lui arrachèrent son poignard. Le thug se laissa désarmer sans résistance. Hiral brandit haut le kriss, dont l'acier se remplit de la vigueur brûlante de Shiva.

Elle l'abattit brutalement.

Le thug ne s'aperçut pas qu'elle lui perçait le cœur. Il s'écroula sans un cri. Shiva triomphait ; Kali se retira dans le royaume des ombres. Les trois hommes sentirent s'éloigner la menace. Karli était libérée et Hiral, tremblante, pleurait. Michel se précipita vers elle, la prit dans ses bras, la serra très fort.

– Mon amour, mon amour, c'est fini.

Il sécha ses larmes, lui caressa tendrement le visage.

– Tu m'as sauvé la vie, dit-il.

Elle le comprit ; elle l'avait sauvé des crocs de Kali ; elle avait empêché le roi des morts de prendre cette vie qu'elle chérissait ; elle avait sauvé leur amour.

Un sourire éclaira son visage triste. Plus rien désormais ne serait comme avant.

– Shiva nous a sauvés, dit-elle. Il n'a pas voulu que notre amour soit détruit.

Leurs vies appartenaient maintenant à Shiva. Lui seul déciderait du jour de leur mort.

36

La fête du holi s'était terminée en apothéose. Des feux d'artifice avaient été tirés des nombreux palais dominant le Gange. Le fleuve avait flamboyé, les dieux eux-mêmes semblaient être descendus du ciel dans les temples parés de lumières vives. Bénarès retentissait encore des chants de joie de la population piétinant les ruisseaux d'eau rougie.

Une centaine d'adeptes de Krishna avaient été accueillis dans la fabuleuse résidence du prince Ranga. Chaque année, cet honneur leur était fait par le souverain prodigue. La troupe endiablée d'hommes, de femmes et d'enfants s'épuisait à danser, soufflant dans les instruments à vent, tapant sur les peaux des tambours, s'époumonant en louanges, chancelant devant son bienfaiteur.

Ranga leur fit distribuer des roupies, de la nourriture ; il remit aussi des coupes de jade aux prêtres qui les accompagnaient dans leurs transes. « Une offrande au dieu de l'amour », leur avait-il dit.

Les éloges fusèrent de toutes les poitrines quand il se retira. Plusieurs portes de bronze rehaussées d'or, de bois incrusté d'argent, se refermèrent derrière lui, ses danseuses et ses courtisanes. Sur son passage, les serviteurs tremblants s'inclinaient, les gardes devenaient de plomb.

Il était le prince Ranga ; il était leur dieu. Et leur vie dépendait de son humeur.

Amiya suivait le groupe. Elle avait espéré que l'eunuque viendrait les rechercher, mais ce dernier ne s'était pas montré. Une courtisane l'avait poussée dans le troupeau des vierges. Elle regardait autour d'elle avec inquiétude ; elle ne s'était jamais rendue dans cette partie du palais, dont le luxe et le raffinement dépassaient tout ce qu'elle avait vu jusqu'à ce jour.

Les objets antiques, les coffres ouvragés, les statues d'ivoire, les meubles chinois et européens s'accumulaient dans des suites couvertes de fresques relatant la vie des dieux, des combats épiques, des scènes tirées de récits fantastiques. Dans une salle, elle découvrit des tableaux venus des lointains pays d'Occident, des rois et des empereurs à cheval, d'autres sur leurs trônes, accompagnés de reines à la peau plus blanche que le lait, des paysages où s'ébattaient des nymphes et des angelots, des saints auréolés de gloire, des christs en croix, des paysages bibliques, des villes sous des ciels ocrés de velours et frangés de nuages transparents. Dans une autre salle, une collection de pendules des quatre coins du monde marquait le temps en des centaines de tic-tac, dans une autre des douzaines d'armes rutilaient, épées courbes à la garde sertie de diamant, hallebardes d'acier noir forgées des siècles auparavant, poignards dans leurs fourreaux d'or, haches marquées de formules magiques, fusils, pistolets, épieux, lances, javelots formant des bouquets de fer, d'argent et de cuivre. Des bibliothèques se succédèrent, croulant sous des ouvrages rares, des rouleaux de parchemin animal, des cartes géographiques, des plans de ville, des traités de médecine et de magie, tout un savoir écrit dans une centaine de langues, de l'ancien égyptien à l'anglais en passant par le sanskrit et le japonais, qui s'entassait en attendant d'être transmis. Ranga ne se souciait guère d'approfondir ses connaissances ; il n'en avait ni le temps ni la capacité. Il se contentait d'accumuler des collections, d'agrandir ses trésors, de donner de lui une image savante, celle d'un être versé dans toutes les disciplines de l'esprit, de quelqu'un qui comptait. Personne n'aurait le loisir de gratter sous le vernis princier... Si, une femme l'avait déjà fait, l'acculant à des banalités et des bafouillis : la reine sikhe Jundan. Que les démons l'emportent !

Pour l'instant, Ranga ne pensait pas à la reine ; il menait ses fleurs vers des plaisirs raffinés.

Amiya marchait maintenant en queue, mettant le plus de distance possible entre elle et le prince. Elle continuait à recevoir toutes sortes d'impressions, bonnes et mauvaises. L'histoire avait laissé ses empreintes dans ces lieux où des générations d'hommes avaient pratiqué la magie et sacrifié aux dieux. L'espace et le temps se perdaient dans le dédale des pièces, des couloirs et des coursives. Il lui sembla être à des lieues de Bénarès. Elle suivait l'invisible courant d'une rivière. Étrangement, elle constata qu'elle devait être la seule à sentir les forces contradictoires que leur passage éveillait. Les autres affichaient leur insouciance, leur résignation, leur curiosité gourmande, cela dépendait de leur tempérament propre. Elle ne remarqua pas d'inquiétudes particulières chez les autres vierges, qui venaient elles aussi pour la première fois dans cette partie du palais.

Elle était bien la seule à refuser son destin, la seule qui avait été initiée par une sorcière.

Le décor se modifia peu à peu ; il se féminisa. Des soies et des velours aux couleurs chaudes et chatoyantes remplacèrent le bronze des portes. On passait à travers les caressantes étoffes, sous des plafonds soutenus par des poutres délicatement sculptées de motifs floraux et d'images érotiques. Sur les murs percés d'aériennes fenêtres de marbre ajouré était peinte la féerie charnelle de l'amour de Krishna et de sa favorite Radha ; cette succession de tableaux réalistes et naïfs se poursuivit jusqu'à une vaste chambre... était-ce réellement une chambre ?

Amiya eut le souffle coupé par ce qu'elle découvrait. Ici, les fresques étaient immenses. Chacune, dans une débauche de détails, décrivait les exploits guerriers et amoureux du dieu. Mais ce qui la frappa, ce fut le plafond.

Tout là-haut, Krishna trônait au centre de ses cent quatre-vingt mille fils. Il avait engendré une invincible armée, une descendance telle que beaucoup d'hommes aujourd'hui sur terre pouvaient prétendre avoir une part de son sang.

Ranga contemplait rarement ce plafond grouillant de vie.

Lui n'avait rien engendré. Son sang s'évaporerait sur le bûcher ; il n'aurait pas de descendant. Ce tarissement de la race ne le tourmentait plus. Il y avait du panache à mourir le dernier, à mettre un point final à l'histoire d'une dynastie.

Il alla s'asseoir au milieu d'une immense couche circulaire de dix pas de diamètre dans les axes de laquelle murmuraient des fontaines. Des fenêtres s'ouvraient entre les courbes sensuelles de gopis levant leurs bras. Ces statues taillées dans une pierre rose éclairée par des lanternes contrastaient avec la nuit extérieure. À peine devinait-on le toit des temples.

Amiya, qui regardait dans cette direction, imagina les fidèles priant, les mendiants à l'entrée des sanctuaires, les humbles et les pauvres mangeant leur poignée de riz en bénissant les dieux. Ils étaient libres.

Libres !

Elle ne voulait plus être dans cet antre. Elle soupira. Par miracle, le prince ne s'intéressait plus aux vierges pour l'instant. Il avait fait venir quatre jeunes courtisanes qu'il se délecta à effeuiller. Quand elles furent nues, il leur fit comprendre que c'était à leur tour de lui ôter ses vêtements. Avec une adresse étudiée, elles mirent au jour son torse sans poils, ses jambes musclées, son sexe dressé. Elles montrèrent leur joie, et leurs mines gourmandes fouettèrent le sang du prince.

De petits rires étouffés parcoururent les cercles des spectatrices qui, assises sur les tapis, avaient pris place autour du lit. Le seigneur Ranga éclata à son tour d'un rire qui glaça Amiya. Il y avait de la monstruosité dans ce rire.

Pâle, tendue, elle le vit se repaître des chairs tendres. Les mains du prince étaient des pinces avec lesquelles il se saisissait des têtes, des cuisses, des seins, des hanches. Son membre, pareil à un dard empoisonné, s'enfonçait sans ménagement dans les calices de ses victimes. En mimant l'amour, il proférait des obscénités.

Ce n'était pas Krishna.

C'était un démon.

Amiya ne sut plus vers quel dieu se tourner. Elle ne devait compter que sur elle-même. Il y avait sûrement un moyen de fuir cet enfer.

37

Ils ne rencontrèrent plus d'obstacle. Duna les guida sans faille vers le nord. Ils étaient attendus ; l'un des agents du sikh vint à leur rencontre le jour où le fleuve apparut dans la plaine.

– Le Gange ! lança Michel.

Ils étaient sur le versant septentrional d'une montagne. Derrière eux, le plateau de Ranchi se desséchait sous la coupe brûlante de l'horizon. Là-bas, les paysans grattaient une terre lézardée, creusaient toujours plus profond pour trouver de l'eau, cette eau qui coulait à profusion à quelques kilomètres des quatre voyageurs.

La mousson n'était pas pour demain. Trois mois s'écouleraient encore avant l'apparition des premières pluies. Le printemps s'annonçait difficile pour ceux qui ne vivaient pas près des grands fleuves. La famine et les épidémies s'ajouteraient aux épreuves subies par les paysans, elles feraient plus de morts que la guerre.

L'agent sikh leur apprit qu'il y avait eu des affrontements sans conséquence. De part et d'autre, on se livrait à des provocations. Les Anglais avançaient avec prudence et se contentaient d'investir les régions comprises entre Delhi et la frontière du Pendjab.

Michel et Dhama comprenaient la méfiance des Anglais. Deux ans plus tôt, leur armée d'invasion, près de dix mille hommes, avait été anéantie en Afghanistan. Ils ne voulaient plus courir le risque d'un désastre, mais ils savaient que leur avenir en Inde dépendait de l'annexion du Pendjab. En s'emparant de cet immense territoire, ils assureraient la stabilité politique du continent et la prospérité de la Compagnie des Indes. Il était de leur devoir d'écrire des pages de gloire pour l'amour de leur reine, pour la grandeur de l'Angleterre et pour Dieu.

Michel était le seul à se représenter l'importance de la stratégie anglaise, dont le but final était de dominer le monde. Il regrettait que la France ne fût pas directement impliquée dans le futur conflit. La France se contentait de peu. Par le traité de Versailles signé en 1783, cinq territoires étaient devenus définitivement français en 1817 : Pondichéry, Karikal, Chandernagor, Yanaon et Mahé. La France possédait aussi des comptoirs commerciaux dans les villes de Balassor, Kosimbazar, Yugdia, Dacca, Patna, Masulipatam, Calicut et Surat. Mais que représentaient ces têtes d'épingle fichées dans le vaste continent indien, face à l'hydre anglaise qui dévorait tout ?

Rien, ou presque.

Ces parcelles françaises, cinq cents kilomètres carrés au total, permettaient à quelques aventuriers de survivre. Michel en faisait partie.

– Quels sont les risques d'être repérés ? demanda-t-il à l'agent.

– Les châras sont partout, mais nous ne risquons pas grand-chose. La plupart sont au service du prince Ranga. Sa richesse lui permet d'acheter toutes les consciences. Il a donné toutes les garanties à notre régente. S'il vous arrivait quelque malheur, Jundan ne le lui pardonnerait pas.

Le sikh disait vrai. L'imprévisible Jundan ne s'embarrassait pas de principes quand il s'agissait de punir quelqu'un, fût-ce un prince ou un saint. Toutefois, Michel n'avait pas une confiance absolue en Ranga. Il émanait de cet homme quelque chose de malsain, de visqueux.

– Restons tout de même sur nos gardes tant que nous ne serons pas arrivés à Mirzapur.

Hiral et Dhama approuvèrent d'un clignement des paupières. Rien n'était acquis dans cette partie de l'Inde soumise à toutes les influences politiques et religieuses. Les châras, entre autres. Les châras étaient les espions attitrés des souverains. Directement rattachés au pouvoir, ils étaient chargés de contrôler l'opinion publique et les mœurs, d'épier les fonctionnaires et les familles nobles, de collecter des renseignements sur les ennemis, de préparer des attentats, des enlèvements, jusqu'à des coups d'État, d'anticiper les réactions anglaises... Les châras de Ranga étaient peut-être des centaines, mais ils ne suffisaient pas à garantir la sécurité des alliés du Pendjab. Les Anglais avaient aussi de puissants appuis et usaient de moyens considérables pour s'imposer sur les deux rives du Gange et dans tout le Pradesh.

Le regard de Michel était braqué au nord-est, comme s'il cherchait à repérer ses éternels ennemis en habits rouges. Il rêva de s'emparer d'un drapeau anglais. La ville de Mirzapur n'était pas encore visible. Le grand empereur moghol Chah Djahan, édificateur du magnifique mausolée en marbre blanc, le Taj Mahal, en avait fait un port. Michel y embarquait parfois du matériel lourd quand les mulets et les chameaux ne suffisaient pas au transport.

– Je ne sens pas de danger, dit Hiral qui regardait dans la même direction que lui.

Michel pouvait se fier à elle. Il leva le bras, encouragea sa monture d'un coup de talon, et la petite troupe le suivit sur la route escarpée de la montagne.

38

Elles étaient trois à souffrir sous la houlette du gourou Tamonash, le Destructeur de l'Ignorance : Amiya, la Délicieuse d'Aunrai, Anjeli, l'Offrande de Ghazipur, et Semantika, la Petite Rose blanche de Sasaram.

Anjeli avait treize ans, Semantika huit. Elles avaient été amenées dans ce palais au début du mois de mâgha, un peu avant Amiya. Chaque gourou était responsable de la formation et de l'éducation de trois pensionnaires. Très vite, Tamonash avait décelé des dons chez Amiya, particulièrement en ce qui concernait la danse.

« Cette enfant est douée, avait confié Tamonash à ses condisciples. Il est dommage qu'elle ne soit plus si jeune ; elle aura bientôt ses premiers sangs. Il est difficile de discipliner une adolescente. Et celle-là sera pire que les autres. Trois-Yeux lui a mis des idées en tête... Je le sens, je le devine. Tout est à reprendre, je le crains. »

Et Amiya reprenait, recommençait selon la méthode tyrannique du gourou, qui ne se priverait pas de l'enfermer dans un cachot avec les rats et les cafards si elle ne lui obéissait pas au doigt et à l'œil. Ses tendons lui faisaient mal, ses articulations craquaient, se dessoudaient jusqu'à la paralysie sous les efforts intenses. Après chaque séance, elle avait l'impression d'être un arbre mort, mais elle retrouvait vite sa souplesse car son pouvoir de récupération était grand, à l'étonnement de l'eunuque qui les massait. Contrairement aux autres filles, elle n'avait pas besoin de fortifiants, ni d'onguents médicinaux ni de menaces voilées.

Le bâton cogna le socle de bois. La main osseuse de la Destruction de l'Ignorance le maniait avec énergie et précision. Tamonash était le plus expérimenté des gourous du temple. Depuis plus de quarante ans, il transmettait l'art de Shiva, et plus de trois cents danseuses du temple de Warangal avaient été formées à sa rude école. Lors de son sixième pèlerinage à Bénarès, il avait eu la chance d'être présenté au prince Ranga, dont l'or et la renommée avaient suffi à le faire renoncer à son voyage de retour en Inde du Sud. Il avait été engagé par le prince et ne le regrettait pas.

Son œil jaune et implacable ne quittait pas les trois vierges.

– *Thai dhi dhi thai !* cria-t-il de sa voix aiguë.

Elles adaptèrent la danse à ces sons.

– *Thakadhimitakita !*

Elles firent les cinq pas demandés.

– *Thai yum dhat tha !*

Elles se plièrent à ce nouvel ordre.

Les tableaux exécutés par les danseuses changeaient à chaque formule sonore correspondant à un adavu. Les trois vierges combinaient les mains et les pieds en d'expressifs karanas et ce n'était pas évident. Il y avait cent huit karanas différents décrits dans la savante méthode du Natyasastra reproduite sur les fresques sculptées des plus grands temples, tels le Nataraja à Chidambaram et le Brihadishvara à Tanjore.

Tamonash regrettait de ne pas voir évoluer l'une des divines danseuses de Tanjore. Il avait eu l'occasion d'assister à une représentation sacrée dans le grand temple de Shiva donnée par la favorite du dieu, l'Étincelante

Hiral. Et il avait été marqué à jamais par la magie et la force de cette danseuse.

Aucune de ses trois élèves ne pourrait égaler les grandes danseuses du Sud. Il ferait d'Amiya la plus douée, au mieux une bonne bayadère capable de jouer des rôles de second plan. Mais le but final n'était pas de façonner les petites à l'image de l'Étincelante. Elles avaient été achetées pour devenir des instruments de plaisir. Il en ferait des expertes en amour. Le Kama-sutra s'apprenait à tout âge.

– *Titalaangu !*

Elles réagirent avec un bel ensemble, sans décalage. En sueur, à court de souffle. Conscientes que la moindre erreur provoquerait la colère du gourou. C'était de plus en plus dur. Il les faisait travailler au quart de vipala. Ce temps égal à un dixième de seconde était inscrit dans leurs nerfs et dans leurs muscles.

– Ça suffit ! lança-t-il soudain en faisant claquer son bâton.

Puis sa voix se fit plus douce, il avait noté de nets progrès dans la chorégraphie.

– Vous avez bien travaillé, vous méritez récompense. Vous pouvez vous rendre aux cuisines et manger ce qu'il vous plaira. Mais attention, n'abusez pas, je vérifierai vos ventres ce soir.

Il donna ensuite des ordres à l'eunuque :

– Surveille-les mais ne sois pas trop sévère avec elles. Ce soir, elles devront être dans de bonnes dispositions d'esprit...

Tamonash eut un sourire sardonique. La leçon de ce soir promettait d'être des plus excitantes. Il allait leur apprendre les huit formes de baisers. Il penserait à mâcher des feuilles de menthe.

Il leur venait des odeurs d'épices, de pains et de fruits mûrs, des senteurs de potages et de sauces, des fumets de viandes bouillies ou rôties. Tout en avançant sous les voûtes crépies de la partie la plus ancienne du palais, les cuisines ayant appartenu à la forteresse moyenâgeuse des origines, elles salivaient. La faim creusait les estomacs d'Amiya, Anjeli et Semantika. On les nourrissait à heures régulières, mais on leur donnait juste ce qu'il fallait pour les maintenir en forme. La composition des repas était étudiée. Les gourous tenaient à ce qu'elles ne grossissent point avant l'âge de vingt ans. Passé cet anniversaire, les danseuses pouvaient prendre des hanches et arrondir légèrement leur ventre, augmentant ainsi l'attrait sensuel qu'elles exerçaient sur les hommes.

C'était la seconde fois qu'il accordait cette faveur à ses élèves. Chaque gourou le faisait. Le péché de gourmandise était l'un de ceux qui s'accordaient le mieux avec le Kamasutra.

L'eunuque n'entra pas dans la salle aux cent recoins où les âtres flambaient, crachant d'épaisses fumées aspirées par les trous percés dans le plafond de brique. Il laissa filer les trois novices sans se faire de souci. À sa connaissance, aucune jeune pensionnaire du palais n'avait tenté de s'échapper ces dix dernières années. Où auraient-elles pu se rendre ? Elles n'étaient rien ; leur âge et leur sexe leur interdisaient toute initiative, toute action contraire à la volonté du gourou, toute pensée contraire à la religion et aux castes. Elles faisaient partie de la propriété du prince, au même titre que les moutons égorgés et les poulets décapités qui attendaient d'être cuits dans les cuisines.

Aucun souci à se faire. L'eunuque repéra un coin frais et s'y installa pour une sieste bien méritée.

Les insouciantes Anjeli et Semantika entraînèrent Amiya. Elles se faufilèrent parmi les servantes occupées à faire cuire les galettes fines et rondes sur les plaques de métal et les pains craquants sur les dalles d'argile.

Habituées aux apparitions épisodiques des jeunes danseuses et sachant que ces dernières avaient l'autorisation des gourous, elles les laissèrent agir à leur guise.

Amiya se serait crue dans un immense chaudron magique. Les vapeurs des cuissons se mêlaient aux fumées des foyers, le rouge des viandes se tachait du vert des piments, le jus jaune des papayes coulait dans la crème des yaourts, les brochettes noircissaient sur les charbons ardents.

Anjeli et Semantika coururent vers les pyramides et les montagnes de desserts à base de noix et d'amandes, préparés de mille manières différentes, gorgés de raisins secs, d'épaisseurs de lait figé et sucré, de poudres safranées.

Les deux insouciantes goûtèrent à tout, frappèrent des mains en découvrant les paniers remplis de litchis, de papayes, de chikkûs, d'ananas, de bananes, de jujubes. Il y avait une incroyable profusion de fruits venant de toutes les régions de l'Inde et au-delà. Des denrées arrivaient sans cesse dans cette ruche bourdonnante. Elles suffisaient à peine à nourrir les mille personnes vivant au palais.

– Tu ne manges pas ? s'étonna Anjeli en se tournant vers Amiya, qui les suivait d'un air soucieux.

Amiya contempla Anjeli comme si elle découvrait son existence, puis elle se reprit :

– Si ! Si !

Elle se saisit aussitôt d'une poire du Cachemire et la porta à sa bouche. Le fruit juteux avait un goût sucré et délicieux. Il donna un tour concret à ses pensées jusque-là chaotiques.

Elle ne tergiversa plus. S'enfuir. Depuis plusieurs jours, cette idée la travaillait. Elle n'avait pas encore osé la mettre en application. S'échapper d'ici la condamnerait à devenir une paria, moins qu'une intouchable, un être rejeté des dieux et des hommes.

Mais un être libre.

Elle se mit à réfléchir. Les cuisines donnaient sur une cour flanquée d'une réserve et d'un enclos à bestiaux. Une double porte perçait l'un des murs fortifiés, s'ouvrant sur la rue des Grains, l'une des artères les plus animées de la ville. Pendant la journée cette porte n'était jamais fermée. Les marchands, les paysans, les commis, les porteurs, les bergers, hommes, femmes, enfants, des centaines de gens assurant la bonne marche du palais et du temple, l'empruntaient. Les deux gardes affectés à la surveillance de ce flot incessant observaient d'un œil las ces passants, sachant qu'aucun d'eux ne pouvait franchir les couloirs prolongeant les cuisines. D'autres gardes veillaient là-bas sur la sécurité du prince et de ses ministres, et les domestiques peuplant le palais auraient vite fait de donner l'alarme si un intrus tentait de s'y introduire. En fait, le rôle essentiel des deux gardes de l'entrée de la cour consistait à refouler les mendiants.

Amiya se concentra. La volonté. Tout dépendait de la volonté, lui avait dit un jour Trois-Yeux. La volonté ne suffisait pas, il fallait aussi savoir se saisir des occasions. Il y avait une autre cour sur la gauche ; on y accédait par une simple ouverture pratiquée à travers des écuries. Il y avait là deux puits et des bâtiments réservés aux familles des serviteurs du palais, des sous-castes devant être disponibles vingt-quatre heures sur vingt-quatre. À tout moment de la journée et de la nuit, on devait être en mesure de satisfaire les caprices du prince et des hauts fonctionnaires, surtout pendant les périodes de fête.

Amiya s'était déjà rendue dans cette cour avec la servante népalaise. Elle arrêta sa décision. Son évasion passait par cette seconde cour. Elle se laissa distancer par les deux apprenties danseuses qui, pareilles à des abeilles, butinaient les monceaux de friandises avec leurs nuées de mouches. Puis elle gagna la première cour, sans soulever la curiosité des cuisinières et de leurs aides.

Dehors, personne ne se soucia non plus de sa présence. Elle passa dans la seconde cour et vit ce qu'elle cherchait : le linge étalé sur les dalles ou étendu sur des cordes. Il y avait là de quoi vêtir une trentaine de familles nombreuses. Il ne lui fallut guère de temps pour repérer une longue bande d'étoffe orangée flottant parmi d'autres. Une étoffe passée, de facture courante, utilisée par les femmes ayant peu de moyens. Ce sari ferait l'affaire, il était peut-être un peu grand pour elle mais cela avait peu d'importance. Elle le détacha de la corde, puis elle s'empara d'un choli bleu pâle, lui-même défraîchi et recousu.

Deux vieilles femmes impotentes allongées sur des nattes la regardèrent faire sans manifester d'émotion. Amiya se dissimula derrière un tas de paniers et se changea. Elle eut le bon sens de se nettoyer le visage à l'eau du puits afin d'enlever les fards que la Népalaise s'appliquait à étaler sur ses traits tous les matins.

Puis elle se passa un peu de terre sur les joues et le front. À présent, elle avait réellement l'air d'une pauvresse de Bénarès. Restait à quitter les lieux le plus discrètement et naturellement possible.

Des paniers à linge vides traînaient près des étendoirs. Elle en cala un sur sa hanche après avoir glissé les pans de son sari entre ses cuisses. Elle prit une profonde inspiration et rejoignit la première cour où venaient d'arriver une caravane de grains et une troupe de marchands de tapis.

Les dieux étaient avec elle.

Une minute plus tard, le cœur tremblant, la sueur au front, elle s'enfonça dans l'artère bruyante, accéléra le pas dès qu'elle fut hors de portée du regard des gardes et, tournant à droite, prit la rue des Huit-Déesses.

La première partie de son plan avait réussi.

Elle n'en avait pas imaginé de seconde.

39

Michel arrêta son cheval sur les bords du Gange et attendit, respectant le rituel auquel se livrait Hiral. L'Étincelante les avait devancés pour arriver avant eux sur la berge. Telle une déesse, elle entra lentement dans le fleuve sacré, altière mais humble. Les cadavres tournoyant dans le courant étaient là pour lui rappeler que son existence n'était rien.

– Ô Ganga... prononça-t-elle tout bas.

Ses compagnons le devinèrent aux mouvements de ses lèvres. Ganga, la mère de l'Inde, l'entendit. Elle entendait tous ceux qui se purifiaient dans les fluides de son corps. De ce côté de la rive droite, Hiral était la seule à se purifier. Les hindous se pressaient en face, sur la rive gauche, le long de la route menant à

Bénarès, où ils avaient la certitude de laver leurs péchés et d'obtenir des faveurs auprès des dieux.

De leur position située à l'est de Mirzapur, les cinq voyageurs n'apercevaient pas encore la cité sainte. Comme l'avait prédit l'agent sikh, ils n'avaient eu aucune difficulté pour parvenir à ce point. Michel en conclut qu'ils ne risquaient plus rien, car ils étaient entrés dans la zone où la toute-puissance du prince Ranga s'exerçait.

Hiral laissait parler son cœur sans crainte. La déesse pouvait se montrer cruelle et sans pitié. Ganga avait noyé sept de ses huit fils, ne gardant que Bhishma auprès d'elle avant de se séparer de son époux, Shantanu. Hiral était en parfaite harmonie avec les eaux car Ganga était née de Shiva. Le dieu avait secoué ses cheveux et laissé tomber les gouttes d'eau pour former le fleuve sacré et les grands lacs du nord de l'Inde.

Hiral dilua ses péchés, communia de toute sa foi. Soudain ses traits se figèrent en une extase. Ganga venait à sa rencontre ; elle marchait sur les eaux pleines de vie, elle avait l'apparence d'une très jeune fille. Quand Hiral voulut s'adresser à elle, elle disparut.

Les hommes comprirent qu'il s'était passé quelque chose en voyant revenir l'Étincelante vers la rive. Hiral avait le visage lumineux. Elle ne leur parla pas de sa vision ; il lui fallait d'abord comprendre le sens caché de cette apparition.

Ganga si jeune, si différente des représentations et des images de la Mère. Hiral se tourna dans la direction de Bénarès. La réponse était là-bas.

Ils prirent le bateau à Mirzapur, ville misérable livrée aux voleurs et aux assassins. Ils grimpèrent à bord de l'unc des nombreuses embarcations assurant le trafic fluvial entre Bénarès et la rive droite. Les nautoniers luttaient de vitesse pour acheminer les troupeaux humains sur les eaux miraculeuses.

Michel paya le prix fort pour leur assurer un espace suffisant sur le pont. Ils durent calmer les chevaux inquiets. Le grand rafiot tanguait sur les vagues soulevées par les autres nefs. Cela aurait pu être pire. Il arrivait parfois que se forment des creux de deux mètres lors des tempêtes. Le capitaine était adroit, les marins surveillaient la moindre manœuvre. Le bateau tenait bien son cap.

Bénarès se dressait, avec ses gaths, ses

temples, ses palais et ses hautes maisons serrées, telle une falaise de marbre blanc, de pierres ocre, de blocs sombres, de brique et de torchis. Le grondement grossissait. De part et d'autre des pontons grouillants de monde, les voiliers prenaient à peine le temps de s'amarrer. À quelques mètres de leurs étraves, des milliers d'hommes et de femmes s'immergeaient, faisant couler l'eau entre leurs mains jointes. Cambrés et courbés tour à tour, ils récitaient les sutras destinés aux dieux. Leurs paroles s'unissaient et montaient vers le ciel, qui n'était jamais limpide. Des centaines de bûchers crachaient braises et fumées.

Bénarès était au centre du cycle de la vie et de la mort. Les pensées des voyageurs se perdirent dans les méandres de ces prières et de ces nuées mêlées.

Hiral guettait le signe.

Son plan ne comportait pas de seconde partie. Amiya ne parvenait pas à en imaginer une. Elle luttait contre la peur sourde qui tentait de reprendre le dessus. Plus que jamais, elle devait se fier à son instinct de survie, qui ne la quittait plus depuis la mort de ses parents. Elle se prit à regretter le temps où elle était chez la sorcière. Elle secoua la tête. Trois-Yeux n'était pas une amie, loin de là.

« Ganga peut m'aider », se dit-elle.

On disait que la Mère exauçait les vœux, guérissait les malades, favorisait les fortunes, intercédait auprès des autres dieux. Bien que n'ayant pas connaissance des sutras que les fidèles adressaient à la déesse, Amiya se décida à la prier. Elle suivit la foule des pèlerins descendant vers les gaths. Des bribes de musique et de chants lui parvinrent d'une rue avoisinante ; il y avait une fête, mais laquelle ? On célébrait plus de quatre cents fêtes par an à Bénarès. Celle-ci paraissait joyeuse et lui redonna courage.

Amiya fut poussée, bousculée, malmenée. Chacun se hâtait vers le fleuve. Les derniers pas vers la rédemption. Certains avaient marché durant des semaines en se privant de tout pour atteindre ce lieu. Les plus faibles étaient morts en chemin. Au tournant d'un escalier, le fleuve apparut. La rive était noire de monde.

Une nouvelle poussée précipita Amiya en avant ; là se pressaient toutes les castes, de la plus humble à la plus prestigieuse. Elle se faufila dans ce grouillement bigarré et bruyant, puis s'arrêta sur un gath occupé par des dizaines de sadhus issus de tous les courants religieux, nus ou portant des robes, le sexe ou le torse couronné de fleurs, insensibles à la fourmilière qui s'agitait autour d'eux. Aucun groupe ne ressemblait à son voisin. Il y avait des saints au crâne rasé, d'autres dont les tignasses épaisses étaient décolorées à l'urine de vache. Des visages plaqués de boue méditaient ; des faces peintes de signes ésotériques s'extasiaient à la vue des dieux invisibles pour le commun des mortels ; des êtres décharnés attendaient des miracles et, déambulant parmi les pèlerins, des marchands proposaient des colifichets, des talismans, des pierres et des parchemins magiques.

Amiya n'était pas impressionnée par les sadhus ; elle regardait avec fascination le Gange. L'eau jaillissait de tous côtés, brassée et battue par les fidèles. Le salut venait de ces flots bénis.

Chitrita observait Amiya.

La servante népalaise avait repéré la petite fille dès que cette dernière était sortie des cuisines. Prenant soin de ne pas se faire voir, elle avait suivi Amiya et frémissait de joie à l'idée de la punition que le gourou allait infliger à cette mauvaise graine quand elle la ramènerait au palais.

Oui, elle allait la ramener par les cheveux ; elle allait la traîner en pleurs, l'humilier ici même. Elle sourit à l'idée de toucher une récompense. Peut-être lui confierait-on un rôle plus important au sein du harem des vierges.

Le ponton grinçait. Il était en surcharge. Les chevaux piaffaient.

– Partons au plus vite d'ici ! commanda Michel qui voyait venir le moment où la superstructure de madriers et de planches s'effondrerait.

De l'endroit où ils étaient, ils apercevaient les toits du palais de Ranga. À n'en pas douter, leur arrivée allait être signalée par les espions qui traînaient sur les gaths. D'autres étrangers, des civils anglais pour la plupart, se promenaient sur les hauteurs en prenant garde de ne pas s'approcher de la foule fiévreuse des indigènes. Les riches Occidentaux étaient à la recherche de sensations fortes et d'exotisme. Ici, ils en avaient pour leur argent.

Dhama les méprisait. Il les ignora. Il était comme un faucon, prêt à fondre sur sa proie, et son œil courait entre les bûchers, cherchant à reconnaître un thug sous un déguisement, ou un mercenaire de Kirat travesti en mendiant. Mais il était pratiquement impossible de repérer un ennemi dans cette masse désordonnée d'êtres qui se livraient frénétiquement aux dieux. Si danger il y avait, il devrait y faire face au dernier instant.

Le danger était bien là. Hiral le sentait. Mais il ne les menaçait pas directement. Elle ne comprenait pas sa nature ; elle chercha d'où il provenait et son regard dirigé par le don se porta vers le sommet du grand gath, là où aboutissaient les escaliers et les ruelles trouant la vieille cité. Des pèlerins déboulaient de ces ouvertures sombres, des processionnaires en sortaient, escortant des cadavres sur des brancards, des prêtres de blanc vêtus y apparaissaient, vénérés par leurs ouailles. Le danger se cachait dans ces torrents humains, et il se rapprochait du fleuve.

– Michel, souffla-t-elle.

– Oui, mon Hiral...

– Je sens quelque chose d'anormal.

À ces mots, il mit la main à l'épée.

– Comme à Karli ? s'inquiéta-t-il.

– Non, c'est différent... Je crois que nos vies ne sont pas menacées. Mais quelqu'un d'autre est en danger. Quelqu'un qui t'est cher.

– Quelqu'un qui m'est cher ? ! C'est impossible. Je n'ai pas d'ami à Bénarès. Et les deux personnes qui me sont chères sont toi et Dhama. Tu dois te tromper.

– Non, elle t'est liée par le cœur, dit Hiral... Elle est si fragile... Elle est... Tu dois la sauver.

– Qui ?... Qui est-elle ? Que vois-tu ?

– C'est très flou. Elle m'est apparue sous une forme juvénile de Ganga lorsque je me suis purifiée... Oh, Michel, elle m'est chère aussi, et pourtant je ne la connais pas. Michel...

À cet instant, on entendit hurler une femme à l'autre bout du long ponton brinquebalant. Ce cri couvrit le bruissement des prières, les gémissements des coques, le grondement des feux :

– Je vais t'arracher le cœur !

Amiya avait l'intention de s'immerger dans le fleuve quand elle vit surgir la forme noire sur sa droite. Son sang ne fit qu'un tour, ses jambes s'enracinèrent dans la vase.

– Chitrita... balbutia-t-elle.

La servante népalaise semblait être un démon jailli des enfers. Sa face tavelée et sombre, son nez de travers et son regard torve avaient été façonnés pour exprimer le mal. Elle tendait ses doigts crochus vers Amiya. Elle allait se saisir d'elle quand cette dernière vainquit sa paralysie.

– Non !

– Je vais te ramener au palais...

– Non !

– Tu vas m'obéir !

– Non ! répéta Amiya en fonçant soudain sur elle.

D'une violente poussée, elle renversa Chitrita. La Népalaise tomba à la renverse dans les eaux glauques.

– Que Ganga te maudisse ! dit Chitrita en tentant de se relever.

À la vue de cette femme pataugeant, Amiya se sentit forte. Elle pouvait lui tenir tête ; elle pouvait la battre ; elle aurait pu vaincre les eunuques, les gourous. D'un coup de pied, elle repoussa à nouveau Chitrita.

– C'est une impie ! Aidez-moi ! Ne la laissez pas s'échapper ! suffoqua la Népalaise.

Personne ne broncha. Qui se souciait d'une femme et d'une enfant de caste inférieure ? Les malheurs d'autrui ne concernaient pas ceux qui étaient venus jusque-là pour laver leur âme. Chacun continua son chemin dans les flots, chacun demeura concentré sur ses propres prières. On ignora les criaillements de cette folle.

– Tu vas le payer de ta vie !

Amiya ne s'attarda pas. Il lui fallait mettre le plus de distance possible entre elle et Chitrita, entre elle et Bénarès. Elle courut vers le plus gros des pontons. Sauter sur un bateau au moment de son départ était ce qu'elle pouvait espérer de mieux. Les nefs se détachaient sans cesse des pilotis, d'autres les remplaçaient.

Elle zigzagua entre les voyageurs, les porteurs et les marins. Déjà, animée par la vengeance, la Népalaise était sur ses talons. La féroce poursuivante brandissait un couteau triangulaire, une arme avec laquelle les bergers de son pays natal saignaient les chèvres.

Une pctite fille et une femme hurlante brandissant un couteau couraient vers eux. La stupeur se peignit sur le visage de Hiral.

– C'est elle ! s'exclama-t-elle en montrant la fillette.

Elle reconnut le visage, l'expression de Ganga.

Amiya se figea soudain. Là, au milieu des gens, il y avait l'homme à qui elle avait demandé secours un an plus tôt. Il conduisait un cheval, une femme d'une grande beauté et trois hommes armés l'accompagnaient. Elle reprit sa course vers lui.

– Oui, c'est bien elle, répéta Hiral. Elle est chère à nos cœurs.

« Chère à nos cœurs... Pourquoi ? » se demandait Michel. Et il se souvint. Il se souvint de la frayeur d'une enfant au sein d'une procession qui s'en revenait d'un bûcher où fumaient les restes de ses parents ; il se souvint de l'espoir qu'elle avait mis en lui d'échapper à un misérable destin. C'était... C'était à Aunrai, à l'ouest de Bénarès. Il s'était détourné d'elle à l'époque, puis il l'avait regretté. Amèrement. Il avait pensé au bonheur qu'il aurait pu lui procurer, à l'amour que lui aurait donné Hiral. À présent, elle était là, terrorisée, à bout de forces, traquée comme un animal sans défense. Il remit les rênes de sa monture à Dhama et se précipita vers elle, ouvrant les bras. Amiya s'y jeta et il la serra très fort.

– Cette fois, je ne t'abandonnerai pas ! dit-il.

– Elle est à moi ! Lâche-la ! Elle m'appartient ! Je suis sa mère ! glapit Chitrita.

Il contempla avec mépris la Népalaise écumante qui les menaçait de son couteau.

– Tu mens ! répondit-il. Sa mère est morte il y a un an. J'ai vu son bûcher.

Il avait un sens inné du combat ; il savait mesurer les capacités guerrières et la détermination d'un adversaire. Cette femme n'avait pas été formée à l'usage des armes, sa détermination était celle d'une chienne affamée à qui on venait de retirer un os à ronger. Elle se tenait mal sur ses jambes, son couteau n'était pas dans l'axe de son bras. Elle était pourtant déterminée à faire couler le sang. Le sang de la petite.

Leurs fusils en main, Dhama et les deux sikhs étaient prêts à loger trois balles dans la carcasse de cette furie.

– On ne doit pas verser le sang sur la rive sacrée, dit Michel. Ce serait offenser Ganga.

Il s'adressait autant à la Népalaise qu'à ses hommes. Il songeait sincèrement à ce qu'il disait ; il respectait les dieux de l'Inde, les lieux où ils apparaissaient aux hommes ; il respectait toutes les croyances dans lesquelles il s'était fondu au fil du temps. Et il y avait des colères surnaturelles qu'il valait mieux ne pas provoquer.

– Pose ton arme, demanda-t-il calmement à la femme, tout en calant mieux Amiya contre lui. Respecte les âmes de ceux que le feu emporte.

Le bras de la femme se mit à trembler ; elle roula des yeux. Il l'avait presque convaincue. En apparence seulement, car elle bondit alors comme une panthère des neiges, prenant de vitesse Hiral et les canons des fusils.

Amiya cria. La lame lui était destinée. Michel pivota sur lui-même. Tel un taureau devant qui s'efface le toréador, Chitrita rencontra le vide. Son couteau fouetta l'air. Son poids et sa vitesse l'emportant en avant, elle ne put s'arrêter ni reprendre son équilibre.

Elle buta contre l'une des amarres du ponton, bascula par-dessus le rebord, heurta la coque d'une barcasse et disparut dans les flots bouillonnants.

Elle sombrait dans un univers jaunâtre et trouble. Elle ne savait pas nager et à cet endroit il y avait bien trois mètres de profondeur. Elle toucha le fond mou, donna un coup de talon, creva la surface, tenta de s'accrocher à un pilotis. Mais le bois était glissant, recouvert d'une algue. Elle n'avait aucune prise.

– Ganga ! appela-t-elle.

L'eau entra dans sa bouche, investit ses poumons. La déesse courroucée avait noyé sept de ses fils ; elle noya sans remords cette femme qui avait tenté de répandre le sang d'une vierge dans les larmes de Shiva.

Ils n'avaient rien pu faire. Michel était prêt à plonger pour venir en aide à la malheureuse mais Amiya l'en avait empêché de toutes ses forces. La Népalaise était morte dans l'indifférence générale. Désormais, son corps flottait quelque part avec les maudits qui n'avaient pas droit aux funérailles.

La petite fille leur devait des explications.

40

Michel avait pris Amiya en croupe ; elle se cramponnait à lui, la joue plaquée contre son dos. Hiral chevauchait à sa hauteur, le regard plein de compassion. L'Étincelante avait l'impression de se voir au même âge ; elle n'était alors qu'une adolescente pleine d'incertitudes et de peurs, une victime que les gourous avaient sacrifiée en la prostituant dans le temple de Shiva. Hiral avait perdu sa virginité à sept ans ; cet atroce souvenir refoulé dans le plus profond de ses secrètes pensées lui revenait à présent. L'homme l'écrasant et l'étouffant de son poids, la déchirure, le sang entre ses cuisses, l'odeur de l'encens mêlée à celle de la sueur. Elle s'en était sortie parce qu'elle aimait Shiva, la danse l'avait sauvée et les hommes étaient devenus les proies de ses talents. Puis il y avait eu Michel, l'amour de Michel. Entre ses bras, elle s'était purifiée, devenant une femme à part entière. Son égale. La venue de cette petite fille était une bénédiction des cieux. Ganga la lui avait envoyée. De nouvelles perspectives s'ouvraient désormais dans leur vie. Ils avaient une fille à élever et à protéger. Elle avait tant de questions à poser à Amiya ; entre autres, elle se demandait comment elle avait pu se retrouver à Bénarès.

– Où vivais-tu ces temps-ci, Amiya ?

Elle avait posé la question à l'imparfait, sentant que la fillette n'avait plus de foyer, qu'elle rejetait l'endroit où la Népalaise avait voulu la ramener.

– Là-haut ! répondit Amiya en tendant l'index vers le toit tarabiscoté d'un palais.

– Dans ce palais ? s'étonna Hiral.

– Oui.

– Quel palais ? s'inquiéta Michel en se retournant sur sa selle.

– Le palais du prince Ranga.

– Le prince Ranga ? Nom de Dieu ! jura-t-il. Suivez-moi !

Et il poussa sa monture dans la direction opposée du palais.

– Que se passe-t-il ?

Les deux sikhs ne comprenaient plus rien. Ils avaient pour mission d'accompagner Michel, Hiral et Dhama chez le prince de Bénarès, qui devait ensuite assurer leur acheminement à Lahore par des routes sécurisées.

– Nous ne nous rendons plus au palais.

– Pourquoi ?

– Ce serait mettre en danger la vie d'Amiya.

Au juste, il n'en savait rien, mais il pressentait qu'un destin affreux attendait Amiya s'il rendait visite au prince.

– Allons chez les miens, dit Dhama.

– Les tiens ? dit Hiral.

– Les Tibétains. Personne n'ira nous chercher là-bas.

Les vestiges d'un stupa marquaient le lieu même où le prince Gautama, devenu le seigneur Bouddha, communiqua la lumière qui lui avait été révélée pendant sa longue méditation sous le banian. À l'abri des regards, dans l'une des pauvres maisons entre lesquelles allaient et venaient les prêtres drapés de robes rouge sombre, Amiya raconta comment elle avait échoué à Bénarès, vendue à Ranga par Trois-Yeux. Elle leur communiqua ses peurs, la détresse qu'elle ressentait au sein du palais :

– Il voulait faire de moi une devadasi...

Cette révélation choqua Hiral. L'Étincelante serra les poings. Elle savait ce qui se cachait derrière ce mot, qui signifiait « servante de la divinité » : la prostitution, les privations, les mutilations, les maladies vénériennes, souvent la mort pour les petites filles soumises à la dictature des gourous. Elle-même était passée par là et il lui arrivait parfois de trembler d'effroi et de honte aux souvenirs de son enfance. Elle avait eu de la chance. Beaucoup de chance. Une boule se forma dans son estomac. Elle demanda tout bas :

– Et toi... Tu es... tu es toujours vierge ?

– Oui, répondit Amiya.

Amiya se mit à pleurer en pensant à celles qui étaient restées là-bas, à Anjeli, à Semantika. Hiral la prit contre elle et lui caressa la tête.

– Maudit prince, souffla-t-elle.

Elle aurait tué Ranga s'il s'était trouvé devant elle. Elle leva les yeux vers Michel. Il était blême. Lui aussi était prêt à punir Ranga.

– Nous devons quitter au plus vite Bénarès, gronda-t-il. Que fait Dhama ?

Il fouilla les ruelles de son regard noir. Dhama était parti avec un moine tibétain pour organiser leur nouvel itinéraire et sortir de la ville sans anicroche. La communauté tibétaine occupait le quartier historique du bouddhisme, vivant à l'écart des hindouistes. Ces derniers les haïssaient et les rejetaient. Les conflits étaient fréquents, violents, sanglants. Une chose était certaine : ici, dans le rayonnement du stupa vénéré, on ne livrerait pas les amis de Dhama à la justice du prince Ranga.

Dhama se montra enfin. Une heure s'était écoulée depuis son départ.

– Nous partirons à la tombée de la nuit en deux groupes séparés, dit-il en exposant son plan.

Dhama avait eu du mal à faire accepter ce plan : Michel et les deux sikhs devaient prendre une route différente afin de ne pas éveiller l'attention sur Hiral et Amiya. Lui, grâce à la complicité des gens de son peuple, les conduirait jusqu'au royaume de Jundan.

Elles étaient méconnaissables. Déguisées en montagnardes du Ladakh, elles cheminaient à pied au sein d'un groupe hirsute composé d'une demi-douzaine de familles conduisant des mulets chargés de sacs de sel. Malgré la chaleur, elles portaient d'épais vêtements en laine et un bonnet de poils d'où s'échappaient leurs cheveux ébouriffés et sales. Les femmes du Ladakh avaient passé beaucoup de temps à les enlaidir avec de la terre et de la graisse mêlées de suie. Dhama lui-même avait dû se déguiser, s'habillant en chef de clan. Il était le seul à cheval, farouche dans ses peaux de bête, jouant à la perfection son rôle lorsqu'ils rencontraient des soldats aux croisements des routes et sur les ponts.

Dhama parlait le tibétain, avait vécu dans l'un de ces villages précaires qui se construisaient au fil des migrations, parmi les éleveurs de yacks et lcs mineurs itinérants, avant d'entrer au service de Bouddha. De plus, ils n'étaient pas les seuls à arpenter la grande route du Nord creusée par des dizaines de générations d'hommes et de femmes. Depuis des temps immémoriaux, les Tibétains descendaient des vallées himalayennes pour vendre des troupeaux, de la laine, des métaux précieux ; ils y remontaient avec les matières premières indispensables pour leur survie.

Quand elles ne croisaient pas d'autres voyageurs et qu'elles étaient loin d'une agglomération, Hiral et Amiya apprenaient à se connaître. Amiya buvait les paroles de l'Étincelante, qui lui racontait sa vie de danseuse dans le grand temple de Shiva à Tanjore, lui décrivait une Inde du Sud très différente de celle du Nord. On ne noyait pas les filles à leur naissance dans le Sud, on les acceptait avec joie. Dans une certaine mesure, les femmes du Sud bénéficiaient de libertés inconnues sur les rives du Gange. À Tanjore et à Madras, les mariages d'amour n'étaient pas rares. Et très peu d'épouses brûlaient vives sur les bûchers quand leur mari décédait.

– Vous avez fait un mariage d'amour ?

La question avait jailli des lèvres d'une Amiya ahurie.

– Oui, selon la tradition héroïque.

– Ah !

Amiya connaissait les mariages d'amour dans les contes, les serments de fidélité qu'échangeaient des personnages fabuleux, aussi beaux que les dieux et les déesses. Elle n'avait jamais entendu dire qu'il y ait eu un tel mariage à Aunrai.

– L'amour est tout, dit Hiral. Il est sans limite. Aucune magie noire ne peut le détruire. La mort ne l'empêche pas de s'étendre. Je sais que je retrouverai Michel dans une autre vie, sous une autre forme. Nous nous sommes sûrement aimés avant de naître à celle-ci, mais nous n'en avons pas souvenance. Tu fais partie de cet amour, Amiya, tu es notre fille à présent, et peu importe que tu ne sois pas sortie de mon ventre. Cela fait des siècles que je te porte dans mon âme.

– C'est vrai, fit Amiya, les larmes aux yeux, je suis votre fille.

– Tu l'es ! Et ton père et moi, nous veillerons à ce que tu te maries d'amour quand le moment sera venu.

Le ton de Hiral se fit moins enjoué. Le moment venu était si loin... Si incertain, comme le paysage brumeux au pied de la chaîne himalayenne. L'air était brouillé. L'humidité montait de l'humus noir des denses forêts parsemées de lacs, traversées de rivières jamais à sec. Des villages fantomatiques apparaissaient et disparaissaient dans des trouées ; des temples et des stupas se dressaient, comme autant de sentinelles chargées de repousser les démons descendant des montagnes. La plupart avaient été abandonnés des lustres auparavant, quand les guerres entre Népalais, Chinois, Tibétains, Indiens, Arabes et Turcs faisaient rage. Ces ruines habitées par les chauves-souris et les serpents servaient quelquefois de tanières aux bandits de grands chemins et aux rebelles.

Toutefois, aucun de ces hommes ne se montra. Il n'y avait rien d'intéressant à piller sur les mulets menés par Dhama et les pouilleux qui lui obéissaient. Les femmes paraissaient si sales et si laides qu'elles n'éveillaient pas d'idées de viol.

Dhama soupira de contentement. Le plus difficile était derrière eux. Il venait d'apercevoir la petite ville de Simla. Cette cité forteresse appartenait aux sikhs depuis une quinzaine d'années.

41

Michel et ses sikhs étaient parvenus sains et saufs à la confluence de la Chenab et de la Ravi. Deux jours plus tôt, ils avaient franchi la Sutlej sur un radeau de fortune. Toutes les embarcations avaient été réquisitionnées par les belligérants, ou coulées sur ordre des généraux de la régente Jundan.

Michel se faisait du souci. Même ici, au sud de Lahore, loin du théâtre des opérations militaires, la guerre montrait son visage. Des épaves incendiées volontairement jonchaient la rive droite de la rivière Ravi qu'ils longeaient. Les carcasses noircies fumaient ; on avait mis le feu aux maisons des pêcheurs ; des corps mutilés pendaient aux branches des arbres. Ce n'étaient pas des sikhs, ni des Anglais, mais de pauvres hères qui avaient eu le malheur de naître près de la frontière.

– Ce sont des musulmans, dit un homme, à côté d'eux.

– Qui est responsable de cette barbarie ?

Les sikhs tardaient à répondre.

– La rani Jundan, poursuivit Michel en plissant les yeux.

Ce ne pouvait être qu'elle. Elle se servait de la terreur pour mettre au pas les populations musulmanes de cette région annexée trente-cinq ans plus tôt. Ses milices agissaient de nuit, ravageaient les villages, exterminaient ceux qui résistaient, puis procédaient à des exécutions publiques afin de décourager ceux qui prônaient la révolte.

– Nous n'avons pas voulu cela, dit Duna Singh.

– Vous gagnerez peut-être la guerre, répondit pensivement Michel, mais vous ne mènerez jamais l'Inde à l'indépendance...

– Comment veux-tu que nous agissions ? ! Nous ne voulons pas avoir la langue arrachée, la peau écorchée, les yeux crevés... Nous avons vu périr ses meilleurs conseillers sous la torture, des hommes de valeur qui rêvaient de liberté et de fraternité pour ce pays. Aller à l'encontre de son orgueil, c'est se livrer à sa colère et à la mort. Il faut demeurer prudent et attendre patiemment que notre prince Dhulip Singh soit en âge de gouverner. Jundan a des yeux et des oreilles partout. Elle met au jour nos pensées les plus secrètes. Elle connaît chaque instant de nos vies ; elle n'ignore rien de la tienne et de celle de Hiral. Suis mes conseils, prends une part active dans cette guerre mais évite de te mêler de politique. Je ne voudrais pas voir ta tête au bout d'une pique à l'entrée de Lahore...

– Ce serait lâche de ma part et de la vôtre. Le prince Dhulip n'a que sept ans. Devrons-nous attendre encore sept ans pour le voir monter sur le trône ? Laisserons-nous tout ce temps à sa mère la rani pour affermir ses positions ? Qui nous dit qu'elle ne le fera pas empoisonner ? Laisserez-vous massacrer des milliers d'innocents jusqu'au jour du couronnement ? Et que ferez-vous, ce jour-là ? Prendrez-vous les armes ? Vous jetterez-vous sur la régente avec vos poignards ? Duna, mon ami, tu es sikh. Que fais-tu de ta foi ? Votre dieu prédestine toutes les créatures et ordonne que la plus haute d'entre elles, l'homme, soit servie par les êtres inférieurs tout en respectant les concepts universels de la bonté, de la charité, de l'honnêteté, du respect des autres. Et votre saint gourou Gobind Singh a écrit : « Lorsque tous les autres recours ont été épuisés, alors il est parfaitement juste de tirer l'épée. »

Duna marqua le coup. Les paroles de Michel lui donnaient à réfléchir. Il avait touché juste en parlant de lâcheté et en rappelant les valeurs de la religion sikhe. Se raclant la gorge, Duna dit :

– Nous tirerons l'épée contre la régente à la fin de la guerre.

– Je serai à vos côtés. En attendant, je parlerai à Jundan...

– Folie !

– Non, elle n'a jamais touché un seul cheveu des étrangers qui servent ses intérêts. Elle a besoin des Occidentaux pour parvenir à ses fins. Elle m'écoutera.

Duna leva les yeux au ciel. Ce Français était réellement fou.

Ils atteignirent Multan. La vieille cité regorgeait de légendes. Elle avait été le siège d'une puissante dynastie musulmane dont l'influence se faisait encore sentir à travers les mausolées gigantesques et les tombes magnifiques disséminés à l'intérieur de ses murs.

La garnison, composée d'une compagnie de fantassins et de quelques volontaires âgés, n'avait pas la prétention de défendre la ville. Elle tenait un fortin renforcé d'une tour carrée sur laquelle trônaient deux canons archaïques.

Un officier d'origine pakistanaise, transfuge d'une unité qui avait vaillamment combattu les Anglais en Afghanistan, les reçut dignement. Michel l'avait rencontré à plusieurs reprises et Duna avait utilisé ses services après l'invasion sikhe.

Les odeurs du mouton aux épices, des pains à la graine de pavot, du riz à la menthe et des thés parfumés flottaient dans la salle de garde où avaient été étalés tapis et coussins. Tout au long du repas, le commandant de la place avait fait part de ses inquiétudes. Il ne changea pas de conversation quand les soldats emportèrent les plateaux. Malgré le thé et les gâteaux au miel, l'heure n'était pas à la détente.

– Toutes les meilleures troupes ont été conduites hors des frontières. Aucune ville n'est en mesure de soutenir un siège. Je n'ai que deux cent dix hommes, alors qu'il en faudrait deux mille pour empêcher cette région de tomber. Que puis-je espérer avec de si maigres effectifs ?

Il soupira. Sa barbe grise se souleva sur sa poitrine ; il imaginait sa compagnie sous le feu ; ses soldats n'avaient jamais tiré sur quiconque, et ce n'était pas l'entraînement auquel il les soumettait qui suffirait à faire d'eux des héros. Qu'une compagnie d'Anglais se montre, et tous détaleraient, tels des lapins affolés.

Michel et Duna suivaient le cours de ses pensées pessimistes. Michel craignait pour Hiral et Amiya. Elles devaient être à présent très proches de Lahore, mais les Anglais y étaient peut-être déjà après avoir contourné l'armée de la régente.

– Quelles sont les dernières nouvelles en provenance de la capitale ? demanda-t-il.

– D'après les caravaniers, elle vit toujours au rythme des fêtes données par la rani. Cinq mille hommes y sont cantonnés et il est prévu de se retrancher dans le fort approvisionné en vivres et en eau si l'ennemi apparaissait. Mais cette éventualité est à peine évoquée ; la rani croit à la victoire et il n'est pas bon de penser le contraire, fit-il en se passant le tranchant de la main sur le cou.

Ils acquiescèrent.

– Je te l'avais bien dit, lâcha Duna à Michel.

– Cela ne change rien à mon plan.

Il avait la conviction que la régente écouterait ses conseils, qu'elle prendrait des mesures favorisant les libertés et stimulant le patriotisme sikh. Il se redressa. Hiral et Amiya occupaient son esprit ; il voulait les mettre en sécurité. Le Pendjab lui sembla soudain plus dangereux qu'un nid de vipères. Il était urgent de rejoindre Lahore.

– Nous partons sur-le-champ, dit-il.

L'officier ne chercha pas à les retenir.

– Je vais vous faire donner des chevaux frais et des vivres.

Une heure plus tard, ils quittaient Multan, remontant le flot des réfugiés venus du nord.

Trois-Yeux broyait des racines tout en surveillant le pot de bronze dans lequel mijotaient des plantes gluantes et des fleurs. Cette préparation lui avait été commandée par le brahmane de Menda, où la fièvre purpurine sévissait. Il lui en coûterait trois roupies d'argent s'il voulait sauver les misérables de son village et sa propre vie. Trois roupies, ce n'était pas cher payé !

Trois-Yeux rumina sa mauvaise humeur en songeant au trajet qu'elle devrait couvrir pour se rendre à Menda : traverser le fleuve, filer au sud par une route peu sûre, deux jours de perdus.

– Quatre roupies ! s'exclama-t-elle en humant la décoction. Et une offrande à Vishnou en mon nom aux frais de la communauté !

Il y avait longtemps qu'elle n'avait pas honoré le dieu à la massue et à la conque marine. Dans les souterrains de la maison, il n'y avait aucune représentation de lui. Dans les profondeurs de la terre régnaient les entités dévouées au mal et à la destruction, et c'était vers elles que Trois-Yeux tournait sa foi. Il était cependant nécessaire d'équilibrer les forces du bien et du mal. Il y avait une logique dans le raisonnement de la sorcière. Vishnou, préservateur et sauveur de l'humanité en péril, l'appuierait dans son action contre la maladie.

Mieux valait se cuirasser quand on livrait bataille aux fièvres. Il y avait souvent un asura derrière ces fléaux et ils n'avaient pas tous été tués dans la guerre épique contre les deva. Trois-Yeux versa les racines réduites en pâte dans le pot qu'elle retira du feu, puis, dans l'urgence née de ses sombres réflexions, elle chercha le gros livre relié de cuir fauve parmi les piles d'ouvrages et les rouleaux de manuscrits.

Il contenait toutes les explications sur la huitième classe des asuras et de nombreuses images réalistes montrant ces démons dans les palais célestes construits par l'architecte divin Maya ainsi que les forteresses volantes en fer d'où ils dirigeaient leurs attaques. Bien qu'étant instruite à leur sujet, Trois-Yeux se laissa gagner par une peur sournoise à la vue de leurs faciès affreux et de leurs attributs destinés aux massacres. Ils lui apparurent au fur et à mesure qu'elle tournait les pages piquetées de moisissures : les Daitya, génies insaisissables ; les Danava, géants éventrant les villes et les montagnes ; les Dasyu, se déplaçant en hordes ; les Kalanjaka, qui venaient des étoiles ; les Khalin massacreurs, accompagnés des Naga venimeux ; les Nivatakavacha aux armures invincibles ; les rôdeurs Paulama, les ogres Pishacha et les Rakshasa, engendrés par les ténèbres. Ils lui montrèrent leurs crocs, leurs griffes, dansant sur des flammes, déchirant des hommes, des femmes et des enfants, amassant des trésors fabuleux...

Au bout d'un temps interminable, elle referma le livre interdit, décidée à offrir plusieurs sacrifices aux asuras maudits. Elle était encore sous le coup de l'émotion quand on frappa à sa porte. Elle sursauta, pensa à ses servantes et se rappela qu'elle les avait envoyées à Aunrai pour acheter du lait, du beurre et de la farine.

Les coups à sa porte redoublèrent.

« Ce n'est pas un esprit, se dit-elle. Le soleil est radieux et il est presque midi. »

Elle se saisit néanmoins d'un poignard à la lame imprégnée d'un poison paralysant et alla ouvrir. Quel ne fut pas son étonnement quand elle découvrit un homme bien vêtu arborant un turban de soie épinglé de grenats grossulaires d'un vert transparent et une médaille honorifique accrochée à sa veste de soie. Derrière lui se tenaient des lanciers à cheval.

– Je suis chez Trois-Yeux ? demanda l'homme.

– C'est moi-même.

Il l'étudia plus attentivement, et elle lui rendit la pareille. Il avait une quarantaine d'années et le regard fuyant. Elle le connaissait, mais d'où ?

– Je suis envoyé par le prince Ranga...

Elle se souvint alors de lui, l'ayant aperçu lors d'une visite à Bénarès. Il sortait du palais en compagnie de brahmanes. Elle devina que ce n'était pas un simple envoyé mais quelqu'un versé dans les secrets de la politique.

– Entrez, je vous prie, je vais vous préparer du thé...

– Non, je n'ai pas le temps de m'attarder. D'autres affaires urgentes m'appellent à Delhi. Je serai bref.

– Je vous écoute.

Il tira une petite bourse de la manche de sa veste et la lui tendit.

– C'est pour toi. Vingt pièces d'or.

Trois-Yeux la prit sans hésiter.

– Que dois-je faire ?

– Retrouver ta petite Amiya et la tuer.

Trois-Yeux était abasourdie. En quelques mots, il lui expliqua qu'elle s'était enfuie avec Michel Casenove et une danseuse sacrée du nom de Hiral. Le prince, blessé dans son orgueil, exigeait réparation. Le sang d'Amiya en était le prix.

42

Le château d'été des anciens empereurs moghols dominait les merveilleux jardins de Shahdara, à l'entrée ouest de Lahore. Malgré sa vétusté, il offrait tout le confort nécessaire aux invités de la régente Jundan. De plus, on s'y sentait en sécurité, car il avait été bâti à une époque troublée de l'histoire de l'Inde et bénéficiait de murs épais et de quelques tours faciles à défendre. Cent hommes d'élite en assuraient la garde, aidés dans leur tâche par une foule de fonctionnaires et de serviteurs, tous sikhs de naissance. C'était dans une partie de l'aile orientale que logeaient Hiral, Amiya et Dhama.

Dès leur arrivée à Lahore, Dhama, comme le lui avait indiqué Duna Singh, s'était empressé de rendre visite au Maître de l'étiquette, Merv Singh. Dhama connaissait cet homme vif comme une anguille, qui avait l'œil à tout. La rencontre avait été immédiate car ils étaient attendus. De la bouche même du Maître de l'étiquette, Dhama avait appris qu'ils étaient discrètement suivis depuis leur départ de Bénarès et que des rapports très détaillés les concernant avaient commencé à affluer au cabinet de la régente dès le moment où Michel avait accepté de rallier la cause sikhe. Le moine n'aimait pas être surveillé.

Où qu'ils aillent, il y avait toujours un serviteur, un soldat, un enfant à proximité. Dhama enrageait de ne pas pouvoir les chasser à coups de pied.

– Tu n'y peux rien, lui dit Hiral.

– Je voudrais être libre de choisir l'air que je respire, ronchonna-t-il en triturant le manche de son épée.

– Respirons celui-ci, nous sommes en vie, Dhama, en vie ! N'est-ce pas le plus important ? dit-elle en serrant Amiya contre elle.

La fillette prit une grande inspiration. Elle s'emplit de vie, de l'air parfumé. Les jardins de Shahdara évoquaient le paradis ; ils abritaient des tombes impériales et des souvenirs heureux. Une grande quantité d'essences avaient été plantées pour l'agrément des visiteurs. Les verts des arbres, les rouges et les violets des fleurs habillaient les marbres des monuments.

Amiya se sentait en paix. Son bonheur aurait été total si Michel avait été là, mais on était sans nouvelles de lui. Elle n'était pourtant pas inquiète. Les dieux protégeaient Michel, et il était homme à faire face à toutes les situations périlleuses.

– Il va nous revenir, ne t'en fais pas, dit Hiral, qui devinait les pensées de sa fille.

Oui, c'était sa fille. Ce titre de mère, elle l'acceptait comme le plus précieux des cadeaux, comme un don du ciel, comme la plus belle preuve d'amour de Michel. Elle n'avait pas eu besoin de la porter dans son ventre, ni de lui donner le sein, ni de lui chanter des berceuses, ni de lui faire dresser la janam patri, cette tablette d'identité établie par l'astrologue de la famille lors de la naissance d'un enfant et qui sert à lui choisir un nom et à le guider pendant toute son existence. Amiya « la Délicieuse » n'était peut-être pas un nom bien approprié à sa personnalité. Adarshini « l'Idéaliste », Shrijani « la Créatrice », Chatura « l'Intelligente », Margi « la Voyageuse » ou Idha « le Discernement » eussent été mieux adaptés à cette enfant éveillée avide de connaissances, de justice et de liberté. Mais c'était bien Amiya dont le cœur battait contre le sien, Amiya qui se désaltérait à sa tendresse, son Amiya pour toujours.

– Je sais qu'il va revenir, répondit Amiya. Il faut qu'il nous emmène loin d'ici, très loin du prince Ranga. Chez vous, à Tanjore.

Le regard de Hiral se voila de tristesse.

– Chez nous... murmura-t-elle. Je voudrais tant que nous soyons là-bas. Hélas, c'est impossible. Le prince Ranga n'est pas notre seul ennemi. D'autres hommes malintentionnés nous attendent dans le Sud. Ils veulent prendre la vie de Michel et la mienne. Nous allons devoir rester quelque temps au Pendjab, au moins jusqu'à la fin de cette guerre. Si la situation ne s'améliore pas d'ici là, nous pourrons toujours nous installer en Afghanistan, Michel y a des terres et les Afghans le considèrent comme l'un des leurs...

Un gong se fit entendre à l'intérieur du château. Toutes deux tournèrent la tête vers l'édifice massif découpant le ciel limpide. Elles virent s'agiter des gardes, courir des serviteurs, disparaître ceux qui s'attachaient à leurs pas.

Précédant des soldats aux tenues rutilantes et des officiers aux habits de soie, des serviteurs balayaient le sol devant la rani en personne. Une déesse parée des étoiles du firmament. Des corindons, des spinelles et des fluorines, cousus sur son corsage, mêlaient des éclats allant du blanc au bleu violet et faisaient ressortir le fragile et chatoyant jaune d'une énorme orthose, entourée de douze opales de feu montées sur le médaillon qu'elle portait en pendentif. Un diadème de platine incrusté de perles ceignait son front, des bagues ornées de rubis et d'émeraudes, pareilles à celles qu'utilisaient autrefois les archers, protégeaient ses pouces ; elles étaient assorties à la décoration du manche et du fourreau du poignard accroché à sa hanche.

– Laisse-nous seules, intima-t-elle à Dhama de sa voix fluette.

Le moine s'éloigna à contrecœur et se posta à une trentaine de pas de la rani. Jundan l'observa pendant un instant, regrettant qu'il ne fasse pas partie de sa garde personnelle. Cet homme attaché à Michel Casenove se battait comme une bête féroce au mépris de sa vie, selon un rapport. Elle tourna ensuite son regard bienveillant sur Hiral et Amiya, qui s'étaient respectueusement inclinées. Elle les avait reçues deux jours auparavant d'une manière protocolaire, avec d'autres étrangers venus offrir leurs services, échangeant des banalités sur leur voyage et les garantissant de sa protection.

À présent, elle remarquait mieux l'impérieuse beauté de Hiral et la forte personnalité d'Amiya. Le Français avait certes du goût, mais il devait aimer les difficultés. Hiral et Amiya ne se soumettraient jamais aux volontés d'un homme. Ce constat lui plut ; elle arbora un franc sourire et dit :

– L'Étincelante vous va à la perfection. Vous êtes la meilleure ambassadrice de votre dieu Shiva.

– Vous m'honorez, ma reine, mais je ne sers plus Shiva.

– Je n'ignore rien de ce qui vous concerne. Votre mariage avec Michel vous a dégagée de vos vœux de danseuse. Et c'est fort dommage, j'aurais aimé vous voir danser. Mais je ne vous en donnerai pas l'ordre. Je respecte votre indépendance.

Hiral était perplexe. La rani paraissait sincère et animée des meilleures intentions du monde. Il était impensable que cette femme fût le monstre qu'on décrivait. Jundan eut un geste d'affection envers Amiya. Posant une main sur l'épaule de la fillette, elle ajouta :

– Tu es une véritable princesse. J'aurais été peinée de te savoir entre les mains de ce fat de Ranga. Il salit tout ce qu'il touche ; il n'est pas de la race des princes qui se sont illustrés brillamment tout au long de l'histoire du Gange... Enfin, il me sert, je ne lui en demande pas plus pour l'instant.

– Avez-vous des nouvelles de Michel ? s'enquit Hiral.

– Il chevauche depuis le sud. Nous avons perdu sa trace à Multan. C'est bon signe. Les Anglais ne le trouveront pas non plus. Marchons un peu, voulez-vous ?

Ce n'était pas une demande, c'était un ordre déguisé. Elles lui emboîtèrent le pas, se tenant à gauche et en retrait de sa royale personne. Elles arrivèrent devant les tombes de l'empereur Djahangir et de son épouse Nur Djahan. Des tourterelles nichaient dans les marbres patinés par les intempéries ; leurs roucoulements accentuaient le caractère paisible des lieux et rappelaient l'amour indéfectible que s'étaient voué les légendaires souverains.

Là, face à ce témoignage de l'art moghol et de la fin d'une histoire romanesque, Jundan demeura songeuse un moment, s'imprégnant de la magie des lieux et de l'esprit des défunts.

L'empereur et l'impératrice faisaient encore partie de ce monde, des traces impalpables de leur présence frôlaient les trois visiteuses. Comme la rani, Hiral et Amiya étaient sensibles à l'atmosphère de cette antichambre du paradis. Mais il suffisait de peu de chose pour se retrouver en enfer. L'équilibre était fragile. Il tenait à l'humeur de la régente.

– Djahangir, « le Possesseur du monde », souffla Jundan. Voilà un exemple qu'on devrait suivre. Il a été le premier à traiter avec les Anglais et les Hollandais, le premier à accepter que les jésuites de Goa étendent leur influence religieuse, et il a épousé Nur Djahan, « la Lumière du monde ».

Un bienveillant sourire éclaira le visage de Jundan. Son admiration pour cette impératrice était sans borne. Elle avait accumulé tous les livres, les parchemins, les lettres, les objets la concernant et se complaisait à dire qu'elle était de la lignée de cette femme persane qui avant de s'appeler « Lumière du monde » avait porté les noms de « Soleil parmi les femmes » et de « Lumière du gynécée ».

– Je ne connais pas l'histoire de cette impératrice, avoua Hiral.

– Oh ! Je vous aiderai à combler cette lacune. De toutes les souveraines ayant régné sur le nord de l'Inde, c'est celle dont je suis la plus proche. Pendant des années, alors que son époux était malade, elle a gouverné ce pays d'une main de fer. Puis, à la mort de l'empereur, elle a, comme moi-même, associé son fils au trône, menant une guerre sans merci contre Chah Djahan. Hélas vaincue, elle se retira de la politique et devint poétesse sous le pseudonyme de Makhfi.

– J'aimerais lire ses poèmes.

– Ma bibliothèque est à votre disposition. Mais ne vous perdez pas trop dans la rêverie. Le temps n'est pas à la poésie ; il est à la colère et à la vengeance. J'admire Nur Djahan et je m'en inspire, mais je ne suivrai pas son exemple jusqu'au bout. Mieux vaut périr rapidement par le poison que de s'étioler en calligraphiant. Je choisirai le moment de ma mort et la façon de quitter ce monde quand la gloire me tournera le dos. Quoi qu'il en soit, nos ennemis ne nous laisseront pas le temps d'aligner des vers. Ils choisissent pour nous ; ils anticipent nos actions, les provoquent, mettent en place des pièges. Nous devons les frapper avant qu'ils agissent. J'ai des raisons de croire que je les anéantirai : j'ai une armée puissante, une police efficace, des partisans fanatiques, des alliés riches et une grande foi dans l'avenir de l'Inde. Et vous avez Michel et Dhama, des hommes que j'estime. À eux deux, ils ne suffiront pas à vaincre le mal qui vous poursuit inlassablement.

– Peut-il m'atteindre à Lahore ?

– Il vous atteindra... Sauf si on le coupe à la racine.

– Il faudrait tuer tous les thugs. C'est impossible !

– Non, il suffit d'éliminer celle qui les guide : Sajils.

– Tuer l'Ornée ?

– Oui.

Hiral était atterrée. Amiya se mit à trembler. Quelque chose de démoniaque avait pris possession de la rani ; elle avait les traits déformés par la haine. Elle ricana.

– La mort est en marche et c'est moi qui la commande !

43

Toutes les pistes avaient été remontées, les solutions examinées, les conclusions tirées. Les thugs avaient activé leurs réseaux, puisé dans leur immense trésor disséminé dans des lieux secrets au nord de l'Inde. Rien n'était laissé au hasard ; leur réputation de meilleurs assassins de la planète ne serait pas remise en cause. La situation politique favorisait leurs desseins. Les Anglais concentraient leur attention sur les sikhs ; ils dépensaient une énergie sans précédent, engageant la totalité de leurs troupes dans le conflit qui les opposait à la rani Jundan. Aux yeux des thugs, la régente représentait le mal incarné. Elle guidait l'Inde sur une voie obscure. Les êtres corrompus et impurs venaient à elle.

Le Français et la danseuse en faisaient partie. Jundan devait être abattue.

Lors d'une réunion, les chefs thugs avaient évoqué l'élimination de la « régente sanglante », mais Sajils l'Ornée s'y était opposée. Les thugs avaient donc abandonné le projet de supprimer Jundan ; ils ne contredisaient jamais leur princesse, en qui ils reconnaissaient les principes de Kali et les manifestations de Durga. Sajils l'Ornée avait été envoyée sur terre pour les guider.

Des cibles prioritaires occupaient en permanence l'esprit de Sajils. Michel et Hiral... Une boule noua sa gorge, sa bouche se remplit d'âcreté, elle grimaça. Michel avait échappé à la mort. Les thugs, en envoyant un seul des leurs, avaient péché par orgueil. Elle le leur avait pourtant dit : Michel n'était pas un homme ordinaire ; il était doué pour le combat, doté d'un instinct puissant. On ne tuait pas facilement un tigre. Et il y avait la danseuse à ses côtés, cette Étincelante proche de Shiva. À n'en pas douter, le dieu les protégeait. On devait lui opposer Kali. Cette dernière serait-elle en mesure de tenir à distance Shiva pendant que les thugs affronteraient Michel et Hiral ?

Sa douleur s'intensifia. Elle les imagina

enlacés dans un lit au cœur du palais de la maudite Jundan. Elle les vit s'embrasser. C'était insupportable. Elle quitta la tour de guet abandonnée dans laquelle elle s'était établie avec ses thugs et marcha d'un pas rapide vers le temple entretenu par la secte.

Ils étaient loin de Bénarès, au nord-ouest, dans un site retiré, à l'écart des voies de communication et des grands fleuves. Personne ne s'aventurait jusqu'ici. Les contreforts des hautes montagnes marquant le Népal avaient été vidés de leurs populations lors des guerres de 1815-1816 contre les Anglais, et les rois sans courage n'étaient plus que des fantoches dirigés par la puissante famille noble des Rana. Les thugs avaient des accords avec ces derniers, qui les utilisaient pour asseoir leur pouvoir. Tout avait été expliqué à Sajils. L'étape était sûre. Il n'y en aurait pas d'autre avant le passage de la frontière et leur entrée dans le Pendjab, où ils apparaîtraient déguisés en pèlerins marchands se rendant à Hyderabad.

Prévoyants et rusés, ils avaient fait venir des chameaux chargés de sel et de talc, des mulets transportant des lingots d'étain et de grossiers coupons de soie issus de Chine. Des caravaniers enrôlés à prix d'or assureraient la route jusqu'au désert de Thar ; ils les quitteraient bien avant les premières dunes, pour se fondre dans la région de Lahore et retrouver les fuyards.

Les bêtes placides étaient parquées à l'ombre du temple. La venue de Sajils n'éveilla aucun intérêt parmi les caravaniers qui les gardaient. Elle était habillée en femme du peuple. Ils ignoraient ses origines princières et pensaient qu'elle faisait partie des servantes thugs. Leurs pensées n'allaient pas au-delà, même s'ils la trouvaient belle ; ils ne désiraient pas provoquer les adeptes de Kali.

Kali n'était pas la maîtresse de ce temple. Une déesse alliée l'habitait. Les thugs l'associaient à leurs entreprises lorsqu'ils se déplaçaient dans le Nord-Ouest. Jyeshtha, sœur aînée de Lakshmi, était une forme de Durga. On l'invoquait en tant que destructrice de la richesse des ennemis. Sajils n'eut que quelques pas à couvrir pour se retrouver devant la terrifiante statue entourée de fleurs et de victuailles apportées par les thugs. Jyeshtha au visage ingrat portait un diadème. Ses seins pendaient, son ventre tombait, les plis de sa peau noire formaient des anneaux. Elle tenait un balai.

Comme d'habitude, quand elle était en présence d'une force sombre, Sajils pria en lui demandant de venir à bout de ses ennemis. Comme d'habitude, elle associa les noms de Michel et de Hiral à ses imprécations, elle planta son regard sans détour dans celui de la déesse, se rappelant que celle-ci régnait aussi sur la constellation du Scorpion.

Cette nuit, elle lèverait les yeux et chercherait les étoiles de la déesse pour en tirer le venin. Sajils était seule. Sa voix résonnait sous les voûtes sans sculptures, éveillait des échos dans les parties reculées du temple. Elle était toute à sa vengeance, fermée aux bruits extérieurs. Elle ne perçut pas les frôlements sur les dalles, ne vit pas l'éclat sourd de la lame, ne poussa pas un cri quand le poignard pénétra ses chairs au niveau des reins. Elle s'écroula aux pieds de Jyeshtha grimaçante. Puis son corps fut traîné dans un couloir à l'abri des regards. Elle avait peu saigné.

Elle perdit beaucoup de sang quand on la décapita.

44

Des soldats blessés s'étaient mêlés à l'exode des civils. Michel et ses hommes rencontrèrent tout un contingent d'éclopés prostrés dans quinze chariots poursuivis par des essaims de grosses mouches vertes. Ils portaient des bandages de fortune, des morceaux de chiffons imbibés de sang noir, et promenaient des regards hagards sur le paysage qui s'écoulait lentement de part et d'autre des ridelles des véhicules cahotants. Les plus vaillants serraient encore farouchement leurs armes, mais on voyait bien qu'ils auraient été incapables de les utiliser en cas de besoin.

– Des mercenaires afghans et perses, constata Duna.

Michel les avait reconnus à leurs traits accentués, à la façon dont ils taillaient leurs barbes, aux chapelets liés à leurs poignées. Vaincus, harassés, réduits à l'état de bêtes apeurées, ils s'en remettaient à Allah. Sur le chariot de tête, un mollah qui n'arborait aucune blessure tentait de maintenir leur moral :

– Dieu connaît le mystère des cieux et de la terre. Il a vu votre bravoure face aux infidèles anglais et aux adorateurs des dieux impies. Il a fait de vous ses lieutenants sur la terre. Qui le dénie, que sa dénégation retombe sur lui-même. Ressaisissez-vous, fils de l'islam. Votre manque de courage ne fait qu'aggraver contre vous la colère de Notre-Seigneur. Craignez qu'il n'envoie ses anges pour achever ceux qui perdent la foi...

Les cavaliers arrivèrent à la hauteur du chariot sur lequel le religieux lançait ses anathèmes. Il les toisa de son œil fanatique.

– Je te salue, homme de foi, dit Michel.

– Qu'Allah t'ait en sa sainte garde, répondit le mollah.

– Vous faites retraite ?

– Oui, nous allons nous regrouper à Multan et y retrouver les volontaires arrivant du Pakistan et de Perse.

– Une bataille a été perdue ? s'inquiéta Duna.

– Non, nous sommes tombés dans une embuscade. Notre contingent fort de deux cents guerriers devait rejoindre notre émir dans l'armée de la rani. Un bataillon anglais nous est tombé dessus dans les gorges de Kasur...

– Kasur ! Les Anglais sont si proches de Lahore ?

La stupeur de Michel était de taille. La ville agricole de Kasur n'était qu'à deux ou trois heures de cheval de la capitale.

– Juste un bataillon mené par un bouillant et téméraire colonel de l'armée britannique... sir Charles Amington. Il verrouille la route menant au sud de Lahore, mais il n'a pas les moyens d'investir Kasur. Ce chien nous a anéantis.

Quelque part dans les souvenirs de Michel, ledit chien hurla à la mort. Sir Charles Amington était son rival, son ennemi de toujours, celui qui avait juré de le faire pendre en grande pompe à Calcutta. Michel rêvait de lui faire payer la défaite de Waterloo. Une fois de plus, il pensa à son père mort héroïquement en Belgique, dans le dernier carré de la garde impériale. Son père présent à Austerlitz, à Moscou, sur la Volga, son père surgissant avec les fantômes de la Grande Armée anéantie dans les plaines russes, son père qui lors d'une charge désespérée avait coupé la main gauche de sir Henry Hardinge, vicomte, chevalier grand-croix de l'ordre du Bain, gouverneur général des Indes et actuel maréchal de l'armée britannique sur le point d'envahir le Pendjab.

Il se devait d'honorer ce père glorieux.

– Mollah, je vois là des hommes en état de combattre, dit-il en inspectant la colonne de chariots. Qu'ils me rejoignent !

– Ces hommes sont las. Ils ont vu périr leurs compagnons...

– Lesquels compagnons sont maintenant prémunis par Allah des misères de ce jour et des jours à venir...

Sa voix prit de l'ampleur ; il s'inspirait de la sourate dite « de l'Homme ». Cela n'échappa point au mollah.

– Eux se nourrissent à présent de l'amour de Dieu, ils ne craignent plus un avenir lugubre et rétif car ils ont offert leur vie pour que resplendisse sa lumière. Ils s'accotent là désormais sous la tonnelle où ne s'éprouve ni soleil ni froidure, dont l'ombrage les caresse et dont les cueillettes se livrent docilement. Entre eux on fait circuler un vaisseau d'argent, des jattes qui sont des cristalleries d'argent galbé. Ils y boivent d'une coupe au mélange de gingembre et à une source divine qu'il y a là et dont le nom est Salsabil. Entre eux circulent des échansons parés de gemmes : à voir celles-ci, on les croirait perles éparses. Voilà ce dont jouissent ceux qui sont tombés sur le champ de bataille, ils en jouissent dans le délice et la grandiose souveraineté. Vous pourriez être parmi eux, vêtus de robes d'étamine et de brocart, parés de bracelets d'argent, abreuvés d'un breuvage de pureté par votre Seigneur, au lieu de fuir sur cette route poudreuse...

Le mollah avait bu les paroles de la sourate délivrée avec la foi d'un pur musulman. Il lança :

– Au nom de Dieu, le Tout Miséricorde, le Miséricordieux ! Que ceux qui peuvent encore se battre quittent ces chariots et se mettent sous les ordres du Français !

Lui-même descendit du banc sur lequel il se tenait et présenta son épée courbe à Michel.

– Je vais t'accompagner. Conduis-moi à la victoire.

La victoire n'était qu'un mot brumeux. Michel contempla la vingtaine d'hommes à présent alignés devant lui. Il descendit de cheval et les serra un à un par les épaules, animant leurs prunelles de courage. Quand il remonta sur sa monture, il avait la conviction que ces braves se battraient jusqu'à la dernière goutte de leur sang. Il tenterait d'enrôler d'autres combattants à Kasur.

Le marché de Kasur était bondé, mais depuis plusieurs jours il ne s'y traitait plus d'affaires. Les événements avaient bouleversé les habitudes séculaires des marchands, des artisans, des colporteurs et de leur clientèle.

Tout était si calme, ici, avant la déclaration de guerre...

La petite ville était fière de sa prospérité et de la propreté de ses rues, mais n'aurait pu se targuer de posséder de riches monuments. Les saints, les martyrs et les prédicateurs avaient toujours évité cette cité que les dieux dédaignaient. Bien que proche de Lahore, elle n'avait jamais connu les contraintes de l'histoire. Les conquérants successifs – et ils avaient été nombreux durant les deux derniers millénaires – ne lui avaient jamais attribué de place prépondérante. Elle n'offrait aucun avantage stratégique, aucune construction digne d'une garnison, aucun mur crénelé, aucune tour protectrice.

Pour ces raisons, la population, rassemblée sur le marché, s'affolait. Les gens se montaient les uns contre les autres, et les voix les plus fortes prédisaient de grands malheurs, des incendies et des pillages.

Michel dut tirer deux fois en l'air pour attirer leur attention. Puis ses soldats formèrent un carré. Le silence retomba parmi la foule et on n'entendit plus que les volailles caquetantes dans leurs cages et les mugissements des bêtes de somme.

Le regard serein de Michel s'appesantit sur ces gens accablés. Toutes sortes de sentiments émanaient de cette foule. La résignation dominait. Il sentit cependant quelques volontés farouches, surtout parmi les groupes de jeunes gens. Ces derniers, comme la plupart des jeunes générations du continent, nourrissaient une haine viscérale à l'égard des Anglais et du monstre enfanté par l'Angleterre, la Compagnie des Indes. Aussi choisit-il de s'adresser à eux en fustigeant les envahisseurs.

Il parla longtemps, les tenant sous son magnétisme, usant du mot « liberté » qu'il opposait à « esclavage ». Il y mit de la conviction bien qu'il leur mentît en partie. Au fond de lui, il savait qu'il agissait pour son propre compte, pour venger l'honneur de son père et d'un empire disparu dans la plaine de Waterloo. Étrangement, ce furent les jeunes filles qui l'approuvèrent en premier, en manifestant leur envie d'en découdre avec les « habits rouges ». Michel avait oublié qu'il s'adressait à une majorité de sikhs et que, chez ce peuple évolué, nulle différence sociale entre les hommes et les femmes n'avait cours. Les garçons suivirent l'exemple des filles et unirent leurs voix pour appeler aux armes. Les pères et les mères renchérirent à leur tour.

À la fin de la matinée, Michel disposait de mille trois cents volontaires. Encore fallait-il les armer.

Des armes, on en trouva. Par nature, les sikhs étaient des guerriers. Des pétoires, des fusils de tout calibre, des arcs, des épées, des haches et des massues apparurent comme par miracle ; on les sortit des caches et des coffres, on les décrocha des murs qu'ils ornaient en évoquant les exploits des parents qui, aux côtés du légendaire Ranjit Singh, avaient rendu au Pendjab sa liberté en 1799, puis conquis successivement Amritsar, Kangra, Jammu, Wazirabad, Faridkot, Attock et, pour finir, Multan en 1818. Ce n'était pas si vieux dans les mémoires. Les survivants de cette époque paradèrent au sein de la petite armée improvisée qui attendait les ordres du Français.

Michel avait envoyé Duna en éclaireur. Ainsi, il apprit que le bataillon de sir Charles Amington campait au débouché du défilé, du côté de Lahore. Le colonel se contentait de couper la route sud de la capitale en attendant l'issue de la première bataille opposant les armées principales.

En possession des informations de Duna, Michel réunit les chefs que s'étaient choisis les habitants et leur proposa de tendre un piège aux Anglais.

Les stridulations des grillons s'élevaient dans la nuit sereine, une chouette en chasse hululait sur les hauteurs des falaises, des étoiles filantes fulgurèrent aux confins des cieux. Elles apportaient des messages aux hommes. Généralement heureux.

« Ah, la belle nuit », se dit Michel en voyant tomber les bons présages.

Il ne fit pas de vœux. Tout était prêt. Le gros de ses forces avait pris place aux sommets des gorges dont la hauteur n'excédait pas une cinquantaine de mètres. Chaque homme se tenait derrière un buisson, un rocher, un arbuste, jusque dans la moindre anfractuosité. De leurs positions, ils cribleraient de flèches et de balles les Anglais quand ces derniers s'engageraient dans le défilé. La réussite de ce piège dépendait d'une cinquantaine de braves qui attaqueraient le camp proprement dit du côté de l'enclos aux chevaux. Le pari de Michel reposait sur une poursuite désorganisée de ces hommes. L'attaque débuterait une demi-heure avant que sonne le réveil, quand l'ennemi dormirait encore sous les tentes dont on distinguait le bel alignement sous la clarté nocturne.

Il sortit sa montre de son gousset.

L'aube n'avait pas encore répandu des couleurs sur la terre quand la flèche enflammée se ficha dans les meules de fourrage. D'autres traits de feu s'abattirent sur les tentes et les sentinelles. Des cris donnèrent l'alerte. Le clairon sonna. Les soldats à moitié endormis, torse nu, saisirent les fusils rangés en faisceau et tentèrent de repérer l'ennemi. Ils virent les tourbillons de poussière soulevés par les chevaux affolés. Quelques-uns montés à cru prirent le chemin du défilé.

– On vole les chevaux ! cria un sous-officier bengali.

Aussitôt les soldats se ruèrent dans cette direction. Sir Charles Amington, sabre au clair dans une main, revolver dans l'autre, vit les fantassins courir vers les gorges dans le plus grand désordre. Il prit conscience du piège tendu.

– Clairon ! Clairon ! hurla-t-il avant d'apercevoir son second et une poignée d'officiers rassemblés sous le drapeau. Richard ! appela-t-il en les rejoignant.

– Nous allons droit à la catastrophe si nous ne retenons pas nos troupes, haleta Richard qui était parvenu au même constat que son chef.

Le clairon demeurait invisible. La fumée des incendies empêchait toute coordination. Des officiers inconscients s'étaient eux aussi lancés aux trousses des attaquants. Plus des trois quarts du bataillon se trouvaient à présent à l'entrée des gorges ; les plus téméraires s'aventurèrent entre les falaises. Une salve de tirs les accueillit.

– Formons une ligne défensive à deux cents pas du débouché des gorges, là où se dressent les blocs de part et d'autre de la route ! ordonna sir Charles. Ramenez nos hommes à coups de crosse et de sabre !

Il prit la tête de ses subordonnés. En sortant du camp ravagé, ils découvrirent le clairon en travers d'un autre corps. Il avait reçu une flèche en pleine poitrine.

– On ne peut plus rien pour lui, dit sir Richard, qui s'était agenouillé.

L'officier prit le clairon et se releva pour sonner le rappel, de toute la force de son souffle.

45

Qu'est-ce qui lui avait pris de remonter si haut vers le nord-ouest ?

Trois-Yeux pestait contre elle-même. « Je suis au Cachemire... au Cachemire ! » se répéta-t-elle.

Jamais dans ses tournées elle n'était montée aussi haut. L'instinct qui s'était manifesté en une peur sournoise ancrée derrière sa nuque depuis le départ de Bénarès ne lui avait pas fait pousser des ailes. Elle peinait dans ces montagnes, plaignant sincèrement les habitants de ces contrées annonçant les neiges himalayennes.

En entrant dans la ville de Srinagar construite si près du ciel, elle crut que ses poumons allaient exploser. Le climat agréable ne suffisait pas à compenser sa gêne respiratoire et ses douleurs musculaires. Ses vieilles jambes lui obéissaient parce qu'elle buvait des tisanes calmantes et mâchait des racines fortifiantes.

Elle n'avait plus de moyen de locomotion depuis qu'elle avait abordé la route montagneuse, trois jours auparavant. Elle n'aurait pas dû se montrer si prudente et aurait mieux fait de continuer tout droit vers Lahore en chariot. Au lieu de cela, elle avait suivi les colonnes d'éleveurs et de moines tibétains, les marchands et pèlerins arabes. Aucun d'eux n'avait consenti à la prendre à bord d'un véhicule, même contre de l'argent.

Maudite engeance ! Elle détestait les Tibétains et les Arabes. Elle était servie : Srinagar, la ville sainte, grouillait de bouddhistes et de musulmans. Ils baragouinaient dans leurs langues impies et lui lançaient des regards en coulisse, voyant en elle un oiseau de malheur. La ville, pourtant, ne manquait pas d'hindous et de sikhs ; ces derniers la contrôlaient et un maharaja de la lignée des princes de Lahore, Gulab Singh, venait de prendre possession du palais érigé par les Moghols. Elle ne portait pas non plus les sikhs dans son cœur et se méfiait de leurs croyances religieuses, de cet amour universel qu'ils voulaient répandre à la surface de la terre.

Rajustant le barda lié sur ses épaules, piochant rageusement le sol avec son bâton, elle s'engagea dans le centre sillonné de canaux et de ponts. Des arbres et des fleurs poussaient à profusion dans les jardins attenants aux maisons. L'eau ne manquait pas ; elle venait du lac Dal, alimentait des fontaines autour desquelles les femmes jacassaient. Ces dernières se retirèrent lorsque Trois-Yeux s'abreuva.

Le quartier indien s'étendait autour des temples de Shankaracharya et de Pandretha. Mais, avant de pénétrer en territoire connu, elle dut traverser la partie arabe de la ville et passer devant un magnifique bâtiment animé. Elle sentit la force qui se dégageait du monument, la foi qui le remplissait.

« Le Hazrat Bal Masjid », se dit-elle en éprouvant de la haine mêlée de crainte.

Ce lieu saint jouissait d'une grande notoriété. Il contenait un cheveu du Prophète. Si elle n'avait pas été aussi fatiguée, elle se serait précipitée vers la porte sud afin de mettre le plus de distance possible entre elle et cette cité et sortir du Cachemire. Elle pensa à sa mission, à Amiya condamnée à mort, se rappelant que sa jeune protégée était promise à une longue vie. Cette dernière pensée la rendit soucieuse ; elle se souvenait très bien du jour où elle lui avait prédit une existence de millions de ghatis.

Elle pressa le pas, fila le long d'un grand canal sur lequel glissaient des barques chargées de fruits et de légumes, contourna des édifices de plusieurs étages en bois, évita des bouddhas dressés aux carrefours et arriva enfin chez ses compatriotes. Enfin, pas tout à fait, les hindous d'ici parlaient le khâshmîri et le pendjabi, deux langues qu'elle utilisait rarement. Pestant contre les complications qui se présentaient depuis qu'elle avait mis un pied dans ce pays de paysans et de mineurs, elle se renseigna.

Il y avait là cinq ashrams et elle comptait se reposer dans l'un d'eux. Un vendeur de pains lui indiqua le centre de méditation d'un sage. Elle y dirigea ses pas. Là, s'étant présentée au brahmane comme une brodeuse de Delhi se rendant chez sa sœur à Taxila dans le Nord, elle lui fit part de son intention de passer la nuit dans son établissement. Sans partager la poignée de riz et l'eau offertes aux pèlerins et traitant par le mépris, d'une moue de dégoût, les souris et les cafards, elle prit possession d'une natte, se roula en boule et sombra aussitôt dans un sommeil réparateur.

Le rêve était pénible. Trois-Yeux avait l'impression de ne pas pouvoir remuer ses bras et ses jambes. Quelque chose appuyait sur ses reins, provoquant un point de douleur. Par moments, elle tressautait. Elle laissa échapper un gémissement, puis se plaignit.

On la rabroua en ourdou.

– Tais-toi, sorcière !

En ourdou ?... Ce n'était pas normal. Pourquoi s'adressait-on à elle dans ce baragouin pakistanais ?

Un nouveau choc lui arracha un cri. Elle ouvrit les yeux. Elle se trouvait dans un chariot bâché, attachée à un cadre de bois. L'homme qui était assis près d'elle la contemplait de ses yeux charbonneux. Il y avait de la brutalité dans ce regard.

Avant qu'elle pût ouvrir la bouche, il se jeta sur elle et la bâillonna. Quelques heures plus tard, quand les sikhs grimpèrent à bord du chariot, elle comprit qu'elle avait été enlevée par des hommes à la solde de la cruelle régente Jundan.

46

Michel exultait. Tout se déroulait comme prévu. Les Anglais se jetaient tête baissée dans le piège grossier. Une bonne partie des chevaux s'était engagée dans la faille qui serpentait. Leur galop pareil à l'éclat du tonnerre roulait jusqu'aux poitrines des sikhs qui ne contenaient plus leur enthousiasme furieux et quittaient leurs positions pour se livrer à un féroce corps-à-corps.

– Il est trop tôt ! s'écria Michel.

– Nous ne pourrons pas les arrêter, il faut charger avec eux ! dit Duna qui, joignant le geste à la parole, bondit par-dessus les rochers et dévala la pente raide.

Michel était devant le fait accompli. De plus, le clairon anglais lançait des notes vives et fixait autour de lui des compagnies.

Les Anglais s'organisaient en pôle de défense en mettant à profit la nature avantageuse d'un terrain formé d'éboulis et de blocs épars, autant d'obstacles derrière lesquels ils pouvaient se retrancher et riposter. Michel donna l'ordre à ses cavaliers de se regrouper. Le moment de lancer une « charge à la Ney » était venu. Il eut le souvenir de ces charges de cavalerie menées par le bouillant maréchal de Napoléon et le désastre que cela avait entraîné, précipitant la défaite de Waterloo. Il ne commettrait pas la même erreur ; il ne se lancerait pas de front contre les baïonnettes.

– Première ligne... feu ! commanda sir Charles.

Les fusils tonnèrent ; les balles sifflèrent et crépitèrent, fauchant des sikhs dans leur charge.

– Deuxième ligne...

Sir Charles avait repris les automatismes militaires ; son sang, comme son regard, s'était refroidi et il communiquait courage et discipline autour de lui. Ses soldats coupaient les sachets de poudre noire avec leurs dents, bourraient la chambre de leur arme, faisaient un pas de côté pour se mettre à découvert, épaulaient et tiraient. Ils n'étaient pas suffisamment nombreux pour l'emporter, mais assez pour résister et décourager l'assaillant qui, à l'évidence, n'était pas composé de soldats professionnels.

Sir Charles appartenait à une race pragmatique. Il échafaudait des plans et en tirait des conclusions en tablant sur tel nombre de tués et de blessés. Il pensait ainsi : « Un tiers des effectifs doit être sacrifié pour prendre telle ou telle position... une moitié de régiment... les deux tiers d'une compagnie... » Peu lui importait le nombre de morts pourvu que fût atteint l'objectif.

Il était avant tout un de ces bouchers médaillés qui se font un nom en accomplissant des carnages.

– Troisième ligne... feu !

La troisième ligne fit feu. Toutefois, elle n'avait pas agi avec ce bel ensemble qui caractérisait les troupes entraînées. Elle se délita même, d'un coup, rompant la position, entraînant les autres lignes à en faire autant. Sir Charles et ses officiers n'eurent pas le temps de menacer qui que ce soit. Leurs soldats s'égaillaient, cherchant avant tout à fuir le nouveau danger qui déboulait... dans leur dos.

– Dieu tout-puissant ! jura sir Charles en se retournant.

Du camp surgissaient une centaine de cavaliers, lances et épées pointées. Accoutré en guerrier indien, un Occidental les menait. Sir Charles, stupéfait, reconnut Michel Casenove, son ennemi de toujours. Alors son sang et son regard se firent brûlants, il perdit la belle assurance de l'officier de Sa Majesté. Il avait enfin l'occasion d'en finir avec ce maudit bonapartiste qui avait épousé la cause et les traditions de l'Inde, ce trafiquant notoire, cette engeance de mangeurs de grenouilles, ce chien galeux !

Les qualificatifs attribués au Français affluaient dans la tête du commandant. Son doigt pressa la détente de son revolver. Le coup partit, manqua sa cible.

Michel frappait, renversait des hommes en se frayant son chemin. Le cheval menait son propre combat. Les naseaux écumants, les yeux agrandis par la peur, l'animal brisait tout sur son passage. Le sabre de son cavalier passait à droite et à gauche de son encolure. Le sang jaillissait sur ses flancs et sous ses sabots. Partout alentour, dans un enchevêtrement de membres et d'armes, hommes et bêtes se livraient un combat sans merci.

– Casenove !

Sir Charles, bien campé sur ses jambes, le visait à nouveau. Le canon cracha une flammèche, Michel sentit l'impact à l'épaule. Pas la douleur. L'Anglais tant honni était à quelques foulées de cheval de lui ; le destin était à portée de son sabre, la vengeance pouvait s'accomplir, l'honneur allait être lavé.

– Va ! cria-t-il au cheval en le talonnant rudement.

L'alezan poussa sur ses antérieurs. Face à lui, l'Anglais fit feu à nouveau, deux fois. Une balla entra dans le col de l'animal, l'autre se perdit dans les airs.

Michel comprit que sa courageuse monture n'allait pas tarder à s'écrouler. Cependant, elle le porta jusqu'à la hauteur de l'officier. Ils se heurtèrent. Déséquilibré par le choc, Michel vida les étriers et tomba sur le dos, la respiration coupée. Au prix d'un effort terrible, il parvint à se relever, juste à temps pour voir sir Charles se jeter sur lui comme un fauve, le sabre haut.

– Maudit bâtard ! cria l'Anglais, le regard exorbité. Tu ne verras pas le coucher du soleil !

Michel esquiva la charge et ils roulèrent au sol, enlacés, chacun tenant le poignet armé de l'autre. Tout autour d'eux, les chevaux renâclaient, donnaient des ruades, piétinaient les soldats abattus. Il y eut une explosion terrible. Le feu avait atteint le chariot des barils de poudre ; le souffle coucha deux escouades et on vit des braves aux cheveux en feu courir se jeter dans la rivière. Partout les Anglais perdaient leur position ; les officiers avaient payé le prix fort de la résistance : la presque totalité des lieutenants et des capitaines gisait parmi la piétaille décimée.

– Pour la reine ! s'écria Amington en portant un violent coup du manche de son sabre à la tempe de son adversaire.

Michel vit danser les étoiles. Ses membres se relâchèrent. Son souffle raccourci ne suffisait plus à pomper l'énergie. Ses muscles perdirent de leurs forces, il ne parvenait plus à bloquer totalement le bras de l'Anglais et vit la lame courbe monter lentement au-dessus de leurs têtes. Un sabre magnifique. À la vue de cette arme digne d'un samouraï, de cet acier chauffé cent fois, à l'affûtage sans défaut, Michel eut un choc. Elle lui rappelait l'épée de son père. Il lui fallait en avoir le cœur net. De toutes ses forces restantes, il tordit la main armée et découvrit les deux lettres incrustées dans le pommeau : *B* et *C*...

– Bertrand Casenove ! souffla-t-il. L'épée de mon grand-père !

– Oui ! Celle qui a coupé la main gauche de notre chef, le vicomte Hardinge, maréchal... des armées et gouverneur général des Indes... ahana sir Charles. Notre lord... m'a confié cette épée sacrée, à charge... pour moi de la retourner contre... nos ennemis...

– Une autre fois, peut-être ! lâcha Michel en projetant sir Charles sur le côté, avant de rouler sur lui-même et de se redresser d'un bond. Au fait, est-il vrai qu'il a touché une rente de trois cents livres à vie pour la perte de cette main ?

– L'or ne suffit pas à étouffer la haine. C'est ta vie qui assurera la rente ! dit sir Charles en se relevant lui aussi.

Ils se mirent à tourner l'un autour de l'autre, cherchant une ouverture, provoquant des réactions de défense à chaque tentative d'attaque. Des hommes des deux factions s'étaient arrêtés de se battre pour suivre leurs évolutions. À un moment, la prudence reflua et l'esprit guerrier prit le dessus. Ils se précipitèrent l'un contre l'autre, ferraillant comme des démons, se portant des coups terribles. Michel fut touché à l'aine, Amington reçut deux pouces d'acier dans la cuisse et une estafilade au cou. Pour finir, crachant leur haine, ils se jetèrent l'un contre l'autre, déterminés à porter le coup fatal.

Le pommeau du sabre du Français heurta Amington au menton. L'Anglais chancela, recula sur plusieurs mètres avant de tomber à genoux. Sir Charles était encore lucide. Il se saisit d'un revolver abandonné. Dans un réflexe désespéré, Michel lança son sabre comme il l'eût fait d'un poignard. La lame siffla et se ficha dans le ventre de l'Anglais, qui s'effondra sur lui-même.

C'était fini. Les Anglais refluèrent en désordre. La bataille venait d'être remportée. Pourtant, Michel la trouvait amère. Nulle joie n'éclairait son visage ; aucune félicité n'élevait son âme. Il ramassa l'épée qui avait appartenu à son père, en éprouva le poids et l'équilibre. C'était une arme magnifique mais sans âme. La vengeance ne lui avait rien apporté ; l'honneur n'avait pas été lavé. Michel comprit qu'il avait tué un homme pour rien. Il se raccrocha à l'idée de la liberté et de l'indépendance de l'Inde. Peut-être que cette escarmouche aurait des conséquences bénéfiques sur les événements militaires à venir : la route sud de Lahore était désormais ouverte à la circulation des vivres et des troupes.

47

Janvier 1846

La guerre ne se déroulait pas aussi bien que prévu. Après un premier engagement à Maki, les sikhs avaient subi une demi-défaite à la bataille de Pherushahr. On avait dénombré des milliers de morts et de blessés de part et d'autre.

Michel n'avait pas pu participer à cet affrontement. Il se remettait de sa blessure à l'aine. Hiral lui appliquait chaque jour un baume que le médecin de la régente lui avait fourni, et cette pommade faisait merveille, accélérant la cicatrisation de la plaie.

Elle passa un doigt sur la boursouflure rose. La chair ne chauffait plus. Dans trois jours, son amour pourrait monter à nouveau à cheval.

– Une cicatrice de plus, fit Michel.

– Ce sera la dernière, dit Hiral.

– Comment le savoir ?

– Tu ne retourneras plus au combat !

– Mais la guerre n'est pas finie...

– Pour toi, elle l'est. Demain, nous ferons nos adieux à la rani et nous prendrons la route du Pakistan. C'est bien ce que tu avais prévu pour nous, au départ ?

– Oui, la route... jusqu'à ce que nous soyons hors de portée de nos ennemis, jusqu'en Perse ou en Turquie.

Des pas attirèrent leur attention. Amiya, accompagnée d'un chambellan, venait d'apparaître dans la chambre de marbre blanc enluminée de faïences multicolores. La fillette était radieuse.

– La régente veut nous voir à la parade ! dit-elle en s'asseyant au bord du lit, près de Hiral.

– Oui, confirma le chambellan, la rani tient à ce que vous assistiez au départ des renforts. Elle vous a préparé une surprise et je gage que vous prendrez beaucoup de plaisir à la découvrir.

Il ne fallut que quelques minutes à Michel

pour revêtir un costume d'apparat qui ressemblait à un uniforme de l'Empire agrémenté de passements de soie pourpre et de galons dorés. Pour la circonstance, il ceignit l'épée. Dhama siffla en le voyant ainsi habillé et paré.

– Tu as l'air d'un maréchal, dit-il.

– Un maréchal à la retraite, ajouta Hiral, qui s'en tenait à l'idée que son homme ne participerait plus à aucun combat.

Ils suivirent le chambellan et parvinrent à la tribune d'honneur qui était en permanence dressée depuis l'ouverture des hostilités. Entourée d'une centaine d'invités et de ministres, la rani leur décocha le plus avenant de ses sourires puis reporta son regard sur le défilé des soldats. Douze mille réguliers, quinze mille irréguliers, deux mille cavaliers et cent canons allaient être envoyés sur le front. On prévoyait une bataille décisive à Sobraon.

Quand la dernière colonne eut disparu dans un nuage de poussière, les serviteurs en livrée apportèrent des rafraîchissements et répandirent des pétales de fleurs sur la tribune. Apparemment, la cérémonie n'était pas achevée car la rani commanda à Michel, Hiral et Amiya de venir prendre place à ses côtés.

La terrible régente souriait toujours, découvrant ses petites dents blanches de prédateur.

– J'ai deux surprises pour vous, dit-elle.

– Pour nous ? ! fit Michel.

– Oui, la première est pour toi et Hiral, la seconde sera pour la petite princesse, répondit-elle en laissant glisser son regard sur Amiya.

Jundan fit un petit signe de la main au chambellan. Ce dernier relaya le geste à un sikh vêtu de noir dont le visage, déparé par un œil crevé, n'engageait pas à la sympathie. L'homme se saisit d'un couffin muni d'un couvercle en sparterie et l'apporta à Michel. Intrigué, le Français interrogea la rani du regard. Jundan opina du chef, donnant son assentiment au sikh, qui ouvrit le panier et en tira une tête à la longue chevelure.

Amiya cria. Hiral et Michel ne purent juguler l'horreur qui se peignit sur leurs visages. La tête exsangue de la princesse Sajils leur était offerte.

– Voici qui règle un sérieux problème, n'est-ce pas ? susurra Jundan.

Ce n'était pas une question. Elle renvoya l'homme et son trophée.

– Venez par ici, intima-t-elle ensuite. Tout le monde !

Toujours sous le choc, ils suivirent la rani, imités par l'ensemble des invités et des courtisans, chacun se demandant de quelle nature serait l'abomination qu'elle leur préparait. Ils n'eurent pas à aller bien loin. Quittant la tribune et s'engageant sur les courtines des remparts, ils parvinrent au-dessus d'une cour intérieure flanquée d'escaliers. Là, sur le sable couvrant le sol, une vieille femme était attachée sur le dos à des piquets. Michel et Hiral ne l'avaient jamais vue. Amiya tiqua. Elle mit quelque temps avant de comprendre qu'il s'agissait de Trois-Yeux. Seule la rani Jundan remarqua son trouble. Quand tout le monde fut installé le long du parapet, le son lugubre d'un cor vibra. Le mur opposé était percé d'une haute porte. Les battants grincèrent en s'ouvrant et laissèrent passer un vieil éléphant mené par un cornac aussi âgé que lui.

– Qu'a fait cette femme ? demanda Michel d'une façon abrupte à la rani.

– Cette femme est celle qui a vendu Amiya au prince Ranga et que mes espions ont arrêtée non loin de la frontière. Elle venait pour la tuer.

Amiya faisait non de la tête.

– Vous auriez pu lui épargner la vue de cette mise à mort, dit-il.

– Il faut marquer l'esprit des enfants, si l'on veut qu'ils survivent dans ce monde, répondit laconiquement la régente, qui parut soudain lasse des atermoiements de son ami français.

Comprenant qu'il usait son crédit et désirant rester libre de ses mouvements dans les heures à venir, Michel se réfugia dans le silence. Hiral prit Amiya contre elle et lui fit tourner la tête pour l'empêcher d'assister à l'horrible supplice.

Amiya se revit à Aunrai, chez Trois-Yeux. Elle se souvint des moments heureux, d'un temps où elle était libre. Trois-Yeux l'avait tirée des griffes de sa famille, lui avait enseigné la liberté, l'écriture, la danse. La sorcière n'était pas une incarnation du mal... Du coin de l'œil, elle vit la vieille femme aux longs cheveux blancs se tordre dans ses liens, et elle éprouva de la pitié. Elle ne méritait pas de mourir de cette façon, écrasée sous la patte d'un éléphant pour le plus grand plaisir d'une reine sanguinaire.

L'éléphant avançait lentement. Son ombre énorme et allongée se rapprochait de la victime. On retenait son souffle. Pas un bruit ne venait rompre le silence étouffant. Aussi, beaucoup sursautèrent en entendant le cri de Hiral :

– Amiya !

D’un mouvement brusque, la petite lui avait échappé avant de se précipiter vers l’un des escaliers menant à la cour. Sans ralentir, elle alla se placer entre l’éléphant et Trois-Yeux et leva la main.

– Toi, fils de Ganesha, tu ne prendras pas la vie de cette femme !

L’éléphant la contemplait de ses petits yeux intelligents. Il tendit son esprit vers cette enfant humaine qui le défiait.

– Sa vie m’appartient ! dit Amiya.

Il accepta, leva la trompe et se mit à barrir longuement.

C’était un prodige. Même la rani en fut impressionnée.

– Cette enfant est promise à un grand avenir, dit-elle. Elle a peut-être changé le cours du destin en sauvant cette femme, ajouta-t-elle plus bas comme si elle avait la vision d’événements futurs. Qu’on ramène la prisonnière dans son cachot !

La rani avait déjà d’autres plans en tête. Des choses plus importantes que la vie ou la mort d’une sorcière se profilaient à l’horizon de l’histoire sikhe. D’abord ce serait la bataille, puis la marche sur Delhi, puis la conquête de l’est de l’Inde et la prise de Calcutta...

– Quand pensez-vous pouvoir rejoindre notre armée ? demanda-t-elle à Michel.

– Dans trois jours. Il faudra mettre des messagers à ma disposition pour avertir mes fournisseurs au Pakistan et en Perse. La conquête du continent ne se fera pas sans armes et sans munitions.

Il mentait en jouant le jeu de la régente, mais il n'avait pas le choix. Il était impératif de quitter ce nid de serpents. La rani prit congé de ses invités et le chambellan resta à la disposition de Michel.

– De quoi avez-vous besoin ?

– De trois de vos meilleurs cavaliers. Je leur remettrai des lettres de créance et leur indiquerai les noms et adresses de leurs destinataires, à Peshawar, à Kaboul et à Ormuz...

– À Ormuz, si loin ? s'étonna le chambellan.

– C'est par le golfe Persique que j'importe la plupart des armes.

– Ah... fit le chambellan, en mesurant soudain la puissance et l'efficacité du Français. Ils se présenteront à vous dans deux heures.

Dhama n'émit aucune objection quand Michel eut fini de parler. Il n'aurait pas fait mieux. Michel avait remis les lettres aux messagers sikhs. Elles étaient codées. Seuls les destinataires sauraient lire entre les lignes ; elles annonçaient l'arrivée en Perse du Français, de son épouse et de leur fille, ce qui impliquait une mise en œuvre de tous les moyens pour les assister le plus rapidement possible.

– La rani part pour l'Est demain afin de marcher à la tête de ses armées sur Delhi, dit Michel. Nous profiterons de son éloignement pour filer vers le Pakistan.

– Encore faudrait-il que ses troupes battent les Anglais, ironisa le moine.

– Ne nous soucions pas de sa victoire ou de sa défaite. Prépare discrètement les chevaux et les vivres. Je prendrai Amiya en croupe. Nous ne nous arrêterons pas avant d'avoir atteint le désert.

Michel se tourna vers Hiral et Amiya. Elles étaient prêtes à affronter tous les dangers, prêtes à braver les tempêtes, à défier les pillards, à livrer bataille, s'il le fallait. Il les rejoignit, les prit par les épaules et les emmena sur la terrasse.

– Là où le soleil se couche, nous irons, leur dit-il. Une nouvelle vie nous attend là-bas.

Ils contemplèrent ce là-bas rougeoyant, ce bonheur qu'il leur fallait atteindre à tout prix.

Le crépuscule emporta leurs espérances, et lorsque la première étoile s'alluma et que le zodiaque se mit à tourner, ils surent que leur amour triompherait.

Épilogue

Les sikhs n'avaient pas triomphé. Les Anglais les avaient battus à Sobraon, le 10 février 1846. Lahore était tombée aux mains de la Compagnie des Indes et la rani avait dû se réfugier avec les restes de ses troupes dans la partie non occupée du Pendjab après avoir signé un traité humiliant.

Jundan rêvait de vengeance. Elle avait été trahie par ses propres généraux Laj Singh et Tej Singh, qui s'étaient laissé acheter et avaient déserté.

Avec l'argent du plus grand des traîtres : le prince Ranga de Bénarès.

Trois-Yeux concrétiserait le rêve de la cruelle régente. La sorcière n'avait pas eu d'autre choix. Libérée, elle était devenue l'outil de sa vengeance.

Des marchands liés à la cause sikhe l'avaient acceptée parmi eux, et c'était à travers l'Ouest soumis à la botte anglaise qu'elle avait cheminé jusqu'au Gange. Sur les bords du fleuve sacré, le temps et l'histoire ne semblaient pas avoir de prise. Les bûchers éclairaient ses berges la nuit, enfumaient ses bords le jour. Il en serait ainsi jusqu'à la fin du monde. Trois-Yeux était demeurée indifférente, le jour où ils étaient passés près d'Aunrai. Elle ne retournerait plus au village ; elle savait ses jours comptés.

Bénarès se profila enfin au bout du voyage poussiéreux. Les dieux possédaient toujours la ville ; les pèlerins s'y jetaient par milliers afin de les honorer. Parvenue aux faubourgs, Trois-Yeux ajusta son sac sur ses épaules et quitta ses compagnons de voyage sans un mot.

Une demi-heure plus tard, elle atteignit le palais du prince ; le chef du poste de garde la reconnut et l'introduisit aussitôt auprès du secrétaire de Ranga. Elle dut attendre deux heures dans une petite bibliothèque que le prince daigne la recevoir. Mais elle avait tout son temps. Le regard dans le vague, elle songea à Amiya et à ses amis qui avaient disparu en Perse et à la rage de la rani qui avait lancé en vain des hommes d'élite à leurs trousses. Amiya devait être très loin, à présent. La petite méritait le bonheur. Trois-Yeux soupira profondément.

– Te voilà donc de retour ?

Surprise, elle vit le prince dans l'encadrement de la porte. Il scintillait de mille feux. Des éclats de pierres précieuses traçaient des lignes sinueuses sur sa veste blanche à col droit. Son turban bleu pâle aux plis impeccables était piqué de trois saphirs et sur ses bottes à bouts recourbés avaient été cousues des bandes d'or.

– Je te croyais morte, avoua-t-il.

– Les dieux n'ont pas encore jugé bon de me rappeler à eux, répondit-elle.

– As-tu accompli ta mission ?

– Oui.

Sur cette affirmation, elle défit les sangles de son sac et en tira une longue boîte étroite.

– Ceci en est la preuve, dit-elle en la remettant au prince.

Intrigué, le prince actionna les fermoirs de cuivre et souleva le couvercle. À l'intérieur de la boîte, il y avait une natte de cheveux soyeux.

– Ce sont les cheveux d’Amiya, dit Trois-Yeux.

Il n’en douta pas un instant. La sorcière n’avait jamais failli.

– Tu auras ton or.

La satisfaction se mua en plaisir quand, prenant la natte, il la porta à son nez pour la humer. Trois-Yeux le regardait d’un œil avide. Elle aussi était satisfaite. Elle n’eut pas à attendre longtemps. Ranga se mit soudain à tousser. En un instant, il fut d’une pâleur de cadavre. Puis du sang coula de son nez. Il comprit.

– Que m’as-tu fait, sorcière ?

– Oh, ce n’est qu’un poison... foudroyant.

– Maudite !

Ranga tenta de se jeter sur elle, mais ses forces l’abandonnaient. Il tomba à genoux, puis sur le côté. Alors Trois-Yeux se pencha et lui murmura :

– Amiya est vivante. Tu ne l’atteindras plus jamais ! Pas même dans une autre vie, car je doute que les dieux t’accordent à nouveau la puissance.

Il était mort. Trois-Yeux ne s’attarda pas. Elle sortit sans hâte de la petite bibliothèque et se retrouva deux minutes plus tard dans la rue bruyante. Comme si rien ne s’était passé, elle descendit vers le fleuve. Elle avait beaucoup de péchés à confier à Ganga et beaucoup à se faire pardonner. Parvenue sur les berges sacrées, elle entra dans l'eau et marcha vers le large. La déesse l'attendait, elle lui remit son âme.

Mise en page : Le vent se lève...

Achevé d'imprimer en mai 2009
dans les ateliers de T. J. INTERNATIONAL
à Padstow, Grande-Bretagne
pour le compte des Éditions Feryane
B.P. 80314 – 78003 Versailles

Dépôt légal mai 2009